FERNANDO MELIGENI

JOGANDO JUNTO

CB028653

132
insights para
te ajudar em
quadra

FERNANDO MELIGENI

JOGANDO JUNTO

132
insights para
te ajudar em
quadra

generale

Publisher
Henrique José Branco Brazão Farinha
Editora
Cláudia Elissa Rondelli
Revisão
Gabriele Fernandes
Vitória Doretto
Diagramação
Vanúcia Santos
Capa
Rubens Lima
Imagens de capa e miolo
Marcelo Ruschel
Impressão
BMF Gráfica

Copyright ©2019 by Fernando Meligeni
Todos os direitos desta edição são reservados
à Editora Évora.
Rua Sergipe, 401 – Cj. 1.310 – Consolação
São Paulo – SP – CEP 01243-906
Telefone: (11) 3562-7814/3562-7815
Site: www.evora.com.br
E-mail: contato@editoraevora.com.br

**DADOS INTERNACIONAIS DE CATALOGAÇÃO NA PUBLICAÇÃO (CIP)
DE ACORDO COM ISBD**

M522j   Meligeni, Fernando

Jogando junto: 132 insights para te ajudar em quadra / Fernando Meligeni. -
São Paulo : Évora, 2019.
248 p. : il. ; 14cm x 21cm.

ISBN: 978-85-8461-195-9

1. Esporte. 2. Tênis. I. Título.

2019-404   CDD 796.342
                          CDU 796.342

Elaborado por Vagner Rodolfo da Silva - CRB-8/9410

Índice para catálogo sistemático:
1. Administração : Trabalho 658.311
2. Administração : Traballho 658.3

Prefácio

Certa vez, desabafando sobre as dificuldades na quadra, disse ao Fino: "O tênis é a modalidade que mais coisas têm para errar". Ele caiu na gargalhada, mas acredito que boa parte dos tenistas – por definição do próprio Fino: quem joga, quem assiste e quem gosta de tênis é tenista – concorde ao menos parcialmente com a afirmação acima.

É o jogo de pernas, o movimento dos mais diferentes golpes, a distância para a bola, a respiração... Para quem joga há muito tempo, algo automático. Para quem começa na modalidade empolgado pelo espetáculo que a TV mostra, um duro golpe, mas também um desafio dos mais prazerosos. Quem se propõe a praticar uma modalidade quer fazê-lo da melhor forma e buscar a evolução em uma quadra de tênis é algo sem igual.

Para aqueles que não são e nem pretendem ser profissionais, *Jogando junto* é a versão tenística de *Minutos de sabedoria*, um livro pra consultar, se aperfeiçoar, se motivar. De forma simples, abrangente e didática, aborda os aspectos mais importantes dessa complexidade que é o tênis, sem deixar de lado algo fundamental: o lado mental do jogo, que comanda – e congela – todos os aspectos físicos mencionados acima quando as coisas não vão bem.

Para os que já são jogadores nas tão sofridas categorias de base da modalidade, a obra traz atalhos, dicas de quem chegou lá, viveu intensamente o circuito, conviveu com as derrotas tão frequentes e aprendeu a recomeçar a cada segunda-feira. Alguém que encarou as dificuldades de sobreviver e vencer entre gigantes que, em geral, tinham mais estrutura e talento, mas nunca tiveram mais coração.

Jogando junto é resultado de anos de experiência no circuito, de amor pelo tênis e principalmente da generosidade que só os maiores têm.

Fernando Nardini

Sumário

PREPARANDO JUNTO

Ser tenista requer muito esforço, foco, amor ao tênis e, principalmente, atitude. Para percebermos nossa evolução, é preciso estar focado e trabalhar duro. Neste livro, vou tentar passar um pouco da minha experiência para você que quer competir ou simplesmente evoluir como tenista.

Para começar, precisamos ter em mente se nosso objetivo é pagar o preço de ser tenista ou jogar somente para dar uma suada na camisa e curtir um esporte. Ser tenista é muito difícil. Para perceber nossa evolução, precisamos estar focados e trabalhar duro. Você quer ser tenista ou jogar tênis? Não dá para começar a leitura se não fizermos essa pergunta e internamente a respondermos com sinceridade.

Para sermos tenistas, precisamos conhecer a fundo duas palavras: "abdicação" e "escolhas". O tempo todo passaremos por elas e essas simples palavras vão nortear se estamos no caminho certo.

Você pode achar que estou exagerando, que sou um pouco duro e até assustador, mas estou te fazendo refletir um pouco antes de entrar a fundo na leitura. Pense, considere, pondere e depois volte ao livro:

Você trabalha duro?

Trata o esporte como uma profissão?

Levando em conta que você sonha em jogar contra grandes nomes, você treina para ter chance de enfrentá-los?

Se decidimos ser tenistas, ser profissionais no nosso dia a dia é simplesmente uma obrigação. Trabalhar duro, treinar seis dias por semana, abdicar de festas, baladas e vida boa tem que ser normal. Colocar o tênis à frente de diversões como internet, videogame e namoro também deve ser algo natural e tranquilo. Lembre-se da palavra "abdicação".

Agora, vamos analisar a palavra "escolha". Se o Federer, o Nadal, a Serena e a Halep trabalham duro, quem somos nós para imaginarmos fazer diferente? Temos a escolha de fazer benfeito e lutar pela chance de sermos jogadores ou não, a escolha é nossa. Por isso, gostaria de dar um relato importante.

Quando eu tinha a sua idade (entre 8 e 15 anos), não era um dos melhores jogadores nem ganhava os grandes torneios. Assim, posso afirmar que a caminhada vale muito a pena. É dura, mas muito legal. Vale a pena tentar. Mas tente com o coração e com muita garra.

Olhe para seus pais. Eles dão muito duro para que você possa sonhar em ser jogador de tênis. Eles abdicam muito para que você possa alcançar seus objetivos. Seja leal a eles e dê seu melhor na hora do treino e dos jogos. Ganhar ou perder é consequência, lutar ou não é uma escolha.

1

O dia do jogo, na verdade, começa bem antes do primeiro ponto da partida. Precisamos entender a importância do processo do dia anterior ao jogo e nos prepararmos para ele. Todas as ações nesse dia podem e vão refletir na hora em que entramos em quadra. Nós carregamos pensamentos, esforços, treinos e conversas. A partir do momento em que descobrimos contra quem jogamos, precisamos pensar em uma estratégia para sairmos vitoriosos. Aí entra o bate-bola, a conversa com o técnico, a alimentação, as horas de sono e a preparação das raquetes.

2

BATE-BOLA DO DIA ANTERIOR

O treino do dia anterior é muito mais tático do que um treino de jogo ou de correções de golpes. Para mim, o jogo já começou e estamos vivendo o pré-jogo intensamente nesse treino.

Um treino leve, de mais ou menos uma hora, com boa movimentação e repetição de algumas jogadas que vamos executar no jogo é uma ótima alternativa para esse dia.

Não acredito em jogador que castiga o corpo no dia anterior. O acúmulo de energia é fundamental. Estar "fresco" na hora do confronto é muito importante. Querer treinar tudo que não treinamos no mês, no dia anterior, não vai nos ajudar em nada.

Comece esse bate-bola sentindo a bolinha bater no meio da raquete. Bata as primeiras dez bolas devagar, sentindo o impacto. Quando estiver quente, comece a jogar com mais profundidade e intensidade. Tudo isso dura, no máximo, dois minutos. Quando digo comece devagar, não quer dizer arrastando os pés no saibro. No treino do dia anterior, o tenista tem que entrar bem-disposto a escutar. A troca de informações com o técnico durante esse bate-bola é fundamental, os exemplos são importantes. É muito legal quando o técnico traz informação durante o treino. Alguns exemplos: "O jogador que você vai enfrentar amanhã gosta de fazer isso quando você o ataca"; "Quando ele jogar aqui, você joga assim". Essas dicas ficam na cabeça do jogador e voltam quando ele está na situação do jogo. O treino do dia anterior é menos contínuo, mais tático que físico e, por isso, é importante estar muito concentrado. Durante esse treino precisamos tocar todos os pontos fundamentais do jogo do dia seguinte. Muitas vezes ajuda mais um bate-bola com o técnico do que com outro jogador. Não aconselho jogar um set inteiro no dia anterior, pois alguns games e treinos táticos são mais produtivos. E não se esqueça de que, ao acabar o treino, temos que fazer todo o ritual de pós-treino com alongamento e corridinha para desintoxicar.

Vou elencar alguns exercícios que podemos fazer nesse dia anterior:

- Saque e primeira bola – movimente-se rápido assim que acabar de sacar. Precisamos de tempo para agredir já na primeira bola.
- Devolução de saque dentro e fora da quadra e primeira bola – precisamos ter essas alternativas. Devolver dentro e fora da quadra muda muito a cara de um jogo.
- Jogada marcada (vamos falar dela mais pra frente).
- Um drills de definição – este pode ser bem simples. Bola fácil no meio e definição de direita.
- E logicamente um bom bate-bola pra sentir a bola na raquete.

3

CLUBE NÃO É SHOPPING CENTER

É importante não ficar muito tempo no clube, ele não é um shopping center, é seu local de trabalho. Se tiver tempo livre, volte para o hotel e leia, estude, escute música, descanse o corpo. Ficar o dia inteiro no clube desgasta. Gastamos energia andando, brincando, jogando carta. Vá ao clube uma hora antes do treino, treine, faça o pós-treino e almoce. Quando acabar, vá embora, pois no dia seguinte tem jogo e você precisa estar preparado. E nem pensar em colocar roupa bonita, perfume, maquiagem, gel no cabelo e desfilar. Clube é lugar de gente suada, pronta para entrar em quadra.

4

ALIMENTAÇÃO NO DIA ANTERIOR

No dia anterior é importante cuidar da alimentação.
Não é por que ainda vamos dormir que podemos achar que não importa o que ingerimos. Uma comida leve, muita hidratação, nada de fritura. Uma boa massa, uma proteína e hotel cedo.

Jantar cedo é importante também. Você não vai querer dormir pesado e ter insônia. Vá a lugares que você conhece ou que alguém te indicar. Todo cuidado com seu corpo é pouco e é melhor não arriscar ter uma surpresa desagradável. Um jantar alegre é fundamental. Prefira sempre jantar com poucas pessoas nessa noite anterior. Mesas grandes viram bagunça e demoram muito para acabar. Amanhã você tem um jogo importante, então foque.

5

RAQUETE E LIBRAGEM

Não sei quantas raquetes você tem, isso depende muito do nível do jogador. Quanto melhor o tenista, mais raquetes. Eu acho apropriado três raquetes para o pessoal do juvenil. Os profissionais usam bem mais. Os menores têm normalmente duas.

Se você tiver três ou mais raquetes, deixe sempre na bolsa duas com a libragem que você joga e uma com duas libras acima. No aquecimento, bata com a raquete que você vai jogar. Guarde a que está mais dura se você estiver nervoso e sem sentir a bola.

A libragem depende muito do tipo de corda, da raquete que você usa e do seu estilo de jogo. Não existe uma libragem padrão, existem os extremos que não são bons.

A corda muito dura tem uma alta libragem. Dá mais controle, mas sua bola anda menos e machuca mais seu braço. A corda mais mole tem baixa libragem. Dá menos controle, mais spin na bola e menos sensibilidade. Trate as raquetes com carinho, deixe-as prontas para a guerra.

6

PREPARAR A BOLSA PARA O JOGO

Raquetes, roupa do jogo, roupas reservas, cordas, bonés, munhequeiras, sachê para fazer a bebida que você vai beber no jogo. Aqui cada um tem seu ritual e objetos que leva para o jogo. Pode ser coisa de maluco, mas eu sempre levava três mudas de roupa caso chovesse ou eu suasse muito, um tênis a mais, caso o que eu tivesse usando abrisse, munhequeiras, dois bonés e vários grips. Na hora do jogo nada pode faltar e não podemos ficar gritando com o técnico para que ele nos salve. A bolsa é mais uma arma dentro do jogo e deve conter tudo que precisamos para uma boa apresentação. Antes de dormir, deixe tudo pronto.

7

DORMIR CEDO

Dormir cedo é fundamental. Um tenista conta as horas de sono: oito no mínimo, com direito a nove e até dez para descansar o corpo e a mente.

Tente fazer do seu sono o mais parecido com o que você está acostumado. Nada de inventar um quarto bem gelado, uma janela aberta, é hora de guardar energia. Se programe para dormir cedo.

Para que isso aconteça, a sua programação tem que sair perfeita. Pense na hora que quer estar na cama e comece a fazer a conta para trás.

8

CONVERSA COM O TÉCNICO

Minha carreira mudou quando comecei a estudar o jogo na noite anterior e conversar com meu técnico antes de dormir. Lembro-me de uma frase do Ricardo Acioly: "Fino, o jogo começa e você ganha no dia anterior".

O conteúdo desse papo tem que ser muito direto e verdadeiro. Em primeiro lugar analisamos como nosso adversário joga. Fazemos um bom raio X dos pontos fortes e deficiências dele. Depois, tentamos imaginar como ele está pensando em jogar, se vai nos atacar, jogar dentro ou fora da quadra. É importante imaginar como vai ser o jogo. Em seguida, devemos pensar em como vamos jogar, nossas armas, por onde vamos nos mover, dividindo quando sacamos e quando devolvemos, como vamos abordar o jogo. Muitas vezes essa análise nos faz muito mais competitivos.

PONTOS A SEREM ANALISADOS:

- Onde ele gosta de sacar;
- Joga mais de direita ou aceita jogar de esquerda;
- Joga dentro ou fora da quadra nos ralies;
- Joga mais reto ou alto;
- Qual é a personalidade do adversário;
- É um jogo de muitas trocas ou de cuidados com a agressividade do adversário.

Essa análise nos ajuda muito na hora do jogo. Se teu técnico não faz isso com você, peça a ele. Sempre conto do jogo do Mantilla em Roland Garros em 1999. No dia anterior, o Pardal fez um esqueleto muito interessante de quando eu sacava. Queria que eu mandasse de direita e não fosse para trás, de revés, nos rallies. Na devolução de segundo saque, eu tinha que entrar e bater firme no meio, sem dar ângulo para o meu adversário. Assim tinha mais chance de bater de direita a segunda bola. Estava tão claro que, no dia seguinte, ficou fácil executar. Eu transbordava confiança. Deu certo e ganhei de um cara que nunca conseguia ganhar.

9

RAQUETES PARA O DIA DO JOGO

Não esqueça de checar como estão suas raquetes, cordas e a libragem. Prepare as armas no dia anterior. Se tiver que encordoar, não deixe para a última hora. Nos torneios juvenis, às vezes o encordoador tem muitas raquetes para cuidar e podemos ter problemas. Vou falar mais sobre raquetes e cordas posteriormente.

Faça as raquetes te ajudarem. É muito ruim quando estamos no jogo e vemos que nossas raquetes estão com a libragem errada ou, pior ainda, nossa corda quebra no meio do jogo e a reserva está muito mole ou muito dura. Pense nisso antes do jogo.

10

É hora de ficar sozinho. Sempre digo que nosso mais justo confidente é nosso travesseiro. Fale com ele, repasse o jogo e se veja ganhando amanhã. Imagine como você vai jogar, tenha pensamentos positivos, acredite. Não existe adversário imbatível. Boa noite.

11
DIA DO JOGO

HORA DE ACORDAR

Chegou o grande dia, acredite que você vai voar em quadra. Em dias de jogos, eu gostava de levantar devagar, acordando todos os músculos que iriam me ajudar a ganhar. É importante que, mesmo sentindo medo ou nervosismo, você se motive e se desafie. Pense: "Hoje vai ser um dia incrível. Vou jogar muito. Lutarei até o último ponto". Esses pensamentos são fundamentais ao acordar. E que tal um: "BOM DIA, CAMPEÃO! HOJE VOU JOGAR MUITO!"?

Para terminar de acordar, coloque uma boa e alta música animada para ajudar a sentir o sangue circulando. Eu escutava a música do Cidade Negra que dizia: "Se querem meu sangue terão meu sangue só no fim, se querem meu corpo só se eu estiver morto. Só assim". Já me dava vontade de sair dando pulos e aquecendo para o jogo. Tome também um banho. Ele tira aquela sensação de sono, cansaço e susto.

Mas, afinal, quanto tempo antes de um jogo é legal acordar? O ideal são três horas. Se o jogo for muito cedo, podemos diminuir para duas horas e meia. Menos que isso atrapalharia a rotina de preparação.

12

HORA DE TOMAR O CAFÉ

Sem dúvida o café da manhã é fundamental, mas para a maioria dos tenistas ele é um problema, já que a ansiedade tira a fome. Mesmo assim temos que comer. Uma fruta, suco, algo leve. Precisamos nos lembrar de que iremos encarar uma linda batalha e, para isso, precisamos estar preparados mentalmente e com o tanque cheio para uma disputa longa e desgastante. Esse café da manhã precisa começar umas duas horas antes do jogo (se ele for cedo). Se for à tarde, podemos acordar no horário que estamos habituados e tomar nosso café da manhã tradicional.

Hora de ir para o clube. No dia anterior precisamos saber como vamos. Para não ter sustos desnecessários nem atrasar a ida por não termos nos organizado, não podemos decidir isso na última hora.

13

HORA DE AQUECER

Chegando ao clube, fique focado. Hoje é dia de jogo, tente se manter concentrado. Cumprimente as pessoas, seja simpático, mas o seu foco é o jogo, não a bagunça. Procure um lugar tranquilo e com pouca gente.

Tudo tem que ser feito com calma e foco, lembre-se de que a batalha está para começar. Quanto mais profissional for nossa preparação, mais chances teremos de ganhar. Acabou a brincadeira. Quanto menos risadinha, papo furado ou brincadeira, melhor. Agora é hora de focar o jogo e o adversário.

Aqueça todos os golpes e, se possível, no fim, jogue três ou quatro pontos sacando e três ou quatro pontos devolvendo. Não se jogue nas bolas, foque fazer o que você imaginou ontem à noite com seu técnico e com a cabeça no travesseiro. Termine no máximo quarenta minutos antes do jogo. O aquecimento é para "tirar a cama das costas" e para sentir a bola.

14

VESTIÁRIO OU ISOLAMENTO TRINTA MINUTOS ANTES

Agora é hora de voltar para o vestiário ou se isolar e esperar o jogo, dependendo do seu estilo. Alguns jogadores tomam banho depois desse bate-bola, outros não. Eu não curtia. Alguns gostam de escutar música. Eu, pelo menos, adorava. Se estava tenso, colocava um rock pesado ou ouvia Charlie Brown Jr., se estava tranquilo um pop, Maná… e, quando estava num estado bunda-mole, escutava Aliados (as músicas deles levantam a moral de qualquer um).

15

PODEMOS COMER ALGUMA COISA ANTES DO JOGO?

Isso depende de cada um. O importante é não se sentir pesado na hora do jogo. Alguns comem algo bem leve. Eu preferia uma barrinha de cereal ou, no máximo, uma banana. O jogo pode durar três horas e precisamos ter energia para isso.

HORA DE PENSAR NA SUA HIDRATAÇÃO DURANTE O JOGO

Não podemos esquecer os isotônicos e a água. Se não tiver água na quadra, leve. Os trinta minutos que ficamos isolados no vestiário são um ótimo momento para separarmos o que vamos beber. Pare de depender do papai e da mamãe, organize-se. Se você ainda não estiver se hidratando, durante o jogo será hora de pensar sobre isso. Ajuda muito a combater o desgaste.

16

AQUECIMENTO MINUTOS ANTES DA CHAMADA

Dez minutos antes do jogo é o momento de voltar a aquecer. Uma bicicleta, pular no lugar, alongar ou ficar com o técnico repassando a tática: tudo depende da estrutura que tivermos. O importante é estarmos aquecidos para entrar em jogo com a intensidade necessária. Acho fundamental entrar meio suado na quadra. Não deixe para aquecer no jogo. Às vezes nosso corpo demora tanto para aquecer que o primeiro set já foi embora. Ao entrar no bate-bola, nós nos movimentamos mais (por que você acha que o Nadal dá aquele pique antes de começar o bate-bola? Para se soltar).

17

ABRA A PORTA QUE EU QUERO JOGAR

A caminhada até a quadra é a mais complicada.
Não se assuste se o nervosismo aumentar. Também não fique encarando seu adversário. Coloque o antolho[1] e olhe para frente, para o objetivo final: a vitória.

---

1 Segundo o dicionário Houaiss, "peças de couro ou outro material opaco que, colocadas ao lado dos olhos de certos animais, geralmente de tração, reduzem a sua visão lateral, evitando que se espantem". (N. E.)

18

AQUECIMENTO

Cinco minutos, ótima oportunidade de conhecer seu adversário se você nunca o viu jogar. Analise se ele joga dentro ou fora da quadra, se a bola dele é pesada, com muito spin ou mais retinha. Sem ele perceber, jogue uma alta e veja se ele vai pra trás ou se entra e mete a mão. Aqueça seus golpes, jogue com intensidade, acelere a cabeça da raquete nos golpes. Esse aquecimento ajuda a tirar o nervosismo, por isso mexa as pernas e aproveite para entrar no jogo, pois ele já começou.

COMPETINDO JUNTO

19

JOGADA MARCADA

A variação faz parte do jogo, mas ela é uma variação.
80% do jogo é padrão. 20% de variação. Por isso é fácil prever onde seu adversário vai jogar se você estiver pensando e não reclamando.

Você se lembra de que eu falei da jogada marcada? Bom, ela é uma das coisas mais importantes do jogo. Mas, afinal, o que é a jogada marcada? É aquela jogada que você faz com muita confiança. A minha era a bola que fugia do revés e batia de dentro para fora da quadra. Todos os bons jogadores usam a jogada marcada muitas vezes e, principalmente, nas horas importantes.

Mas o cara vai saber. Não importa. Ela é teu ganha-pão. Meu melhor contra o seu melhor.

O Nadal usava seu forehand na cruzada e fugida do back para o outro lado, o Federer usava sua direita cruzada e subida à rede para definir, o Guga usava seu saque aberto na vantagem e esquerda na paralela. Esses são alguns exemplos de jogada marcada que os grandes jogadores usam em momentos difíceis e quando precisam do ponto.

Acredite no seu jogo. Sempre digo que existem os jogos normais e os duríssimos. Não existem os impossíveis, pelo menos pra mim. E para você? Se tiver uma boa jogada marcada, você desenvolverá mais confiança de ganhar de bons tenistas.

20

VARIAÇÃO DE EFEITOS

Muitas vezes você impacta a bola no centro da raquete, sente ela, a coloca onde quer e mesmo assim não ganha. Você já parou para pensar se está usando a variação de efeitos?

Existem várias maneiras de bater uma direita. Pode ser com muito spin, alta no fundo, que joga o adversário para trás, ou aquela que não é tão alta, mas tem um pouco de spin e mais velocidade. Temos a que você pega mais na cara da bola e manda mais chapada, mais agressiva. E tem uma das que eu mais gosto, a que é um spin, mas você pega ela bem por fora da bola. Essa que na cruzada acaba abrindo mais e complica muito seu adversário.

Todas elas servem, mas nenhuma delas ajuda se não vier com a ajuda das outras. Você precisa colocar uma dúvida no seu adversário. Ele precisa se sentir desconfortável cada vez que você bater na bola. E isso só vai acontecer se não souber qual das direitas ou esquerdas virão na próxima tacada.

Na esquerda não se esqueça do slice. Ele serve como defesa e principalmente como variação. Use o slice baixinho para que seu adversário tenha que levantar essa bola.

Todas as variações são aconselháveis. Saiba quais e quando usar. Esse é o desafio.

21

PADRÃO

▼

Leia muitas vezes. Trabalhe muito isso. Todos os jogadores bons têm um padrão de jogo. Mais do que isso, sabem exatamente como é seu padrão e aonde eles querem chegar com sua tática. Padrão de jogo é uma forma bonita de chamar estilo e tática em conjunto.

Ter padrão é saber o que fazer e quando fazer com a bola. O Nadal é um jogador de base que joga passos atrás da linha com seu forehand, fugindo da esquerda e armando com seu drive na cruzada, esperando a bola curta.

Quando entendemos como jogamos, fica muito mais fácil pensar como vamos jogar contra cada adversário. O respeito com nosso padrão é fundamental para ser bem-sucedido no jogo.

Um dado interessante em que eu acredito é que um bom atleta joga tênis mais ou menos 80% no padrão e apenas 20% na variação. O tenista precisa ter volume de jogo. Somente os que jogam diferente, como os gigantes que sacam a 230 km/h e, por serem altos demais, se mexem mal e jogam com menos volume. Mas mesmo assim respeitam um padrão.

Quando você vê um tenista fazer muita jogada diferente, slice, curta, alta e rápida em um mesmo ponto, desconfie. Se você jogar de forma firme e sólida, provavelmente vai ganhar dele. São poucos os que conseguem jogar assim. Mas esses são os chamados fora da curva, extremamente habilidosos. Se não for o seu caso, conheça seu padrão e jogue com ele o tempo todo.

22

VARIAÇÃO DE SAQUE

Se você chegou ao saque e suas variações, isso quer dizer que você quer evoluir em todos os golpes.

A variação do saque é um dos pontos mais importantes no tênis. Com ele você pode fazer muita diferença.

Algumas pessoas acham que os grandes sacadores são aqueles que sacam a 220 km/h. Para mim, o grande sacador é o jogador que consegue usar todos os saques e sabe variar o lugar e o efeito com maestria. Você tem três saques bem confortáveis no seu jogo? Se não tem, é bom começar a treinar muito isso.

Saque slice é aquele que você tira um pouco da força e pega a bola por fora. Ele ajuda muito nos momentos mais tensos. Quanto mais você precisa do primeiro saque, mais slice você coloca nele.

O saque chapado é aquele que você usa quando não quer que a bola volte. Saque para o ace, para a definição.

E o saque spin é aquele que você usa de variação ou no segundo saque. Pronto, temos os três saques.

Agora é preciso usá-los nos três lugares do quadrado. Saque aberto, saque fechado e o pouco usado, mas muito importante, saque no corpo.

Lembre-se de usar esses três saques em um game duro, essa variação pode te salvar. Se você sacar o tempo todo igual, o seu adversário não vai ter problema para devolver seu saque.

23

Esse é um assunto importante no nosso esporte.
A postura agressiva é fundamental para jogar nos dias de hoje. Existe uma grande diferença entre ter postura agressiva e estourar a bola ou bater forte.

Quando olhamos para um tenista, percebemos logo se ele tem postura agressiva ou não. Se ele se esparrama para os lados, com o corpo inclinado para trás e, sempre que acaba de bater, dá um passo para frente, esse jogador não tem a tal postura agressiva.

O tenista com postura agressiva joga sempre na ponta do pé e com a sensação que o estão segurando por uma corda amarrada na sua cintura. Ele sempre está inclinado para frente e pronto para dar o bote se o adversário deixar a bola curta.

Ter essa atitude agressiva faz o jogador ficar mais ativo e intenso. Como o esporte está ficando mais veloz, vemos cada vez menos jogadores com a "bunda na parede". Antes víamos Ferrer e companhia lutar por todos os pontos e "remar" o tempo todo. Eu mesmo era um desses que jogava com uma postura mais para defensiva do que agressiva. Hoje claramente não ganharia de ninguém. Por isso, ou mudamos ou apenas jogamos.

24

Mesmo com o tipo de jogo mudando, não devemos esquecer a postura defensiva. Existem momentos no jogo em que precisamos ser inteligentes e "fazer o adversário jogar". Por exemplo, quando ele está errando muito e você percebe isso.

Jogar a bola para o outro lado é uma boa alternativa. Cuidado apenas para não ficar curto e defensivo demais. Ter uma postura defensiva tem suas regras: bolas fundas, variação e não dar muito ângulo. Jogar defensivo pelo meio ao menos tira um pouco as cruzadas do seu adversário. Tenha isso claro em sua mente quando jogar defensivo, mas não fique nesta posição por muito tempo. Seu adversário vai se adaptar e vai te fazer sofrer.

Antes existia o jogador com postura defensiva o jogo todo. Hoje esse jogador joga pontos com essa postura.

Tome cuidado se você gosta de jogar no contra-ataque. Normalmente esse tipo de tática pode te deixar muito defensivo.

Tanto agressivo quanto defensivo, o jogador precisa ser inteligente e perceber o momento de cada tática.

25

TÊNIS É UM ESPORTE DE ERROS

Quando falei que tênis era um esporte de erros na seção "Frustração" mais adiante, passei um pouco rápido por esse assunto. A verdade é que, em um jogo, a maioria dos pontos se define em um erro. No fim são dez, vinte winners em um jogo de mais de 100, 150 pontos. Então temos que aceitar, mas acima de tudo cortar, os erros bobos.

Não é à toa que, nas estatísticas, existe o erro não forçado e fora das estatísticas, que aparece na televisão, e existe o erro forçado. São duas bolas bem diferentes. Às vezes seu adversário te fez errar, faz parte.

Se você cortar em 20% os erros em bolas fáceis e os cometer só nas complicadas, já melhorará muito. Vejo a garotada jogar pontos como joga uma fase do videogame. "Ah, errei! Mas tudo bem, tem outra. Reset e vamos outra vez." No tênis não é assim. O erro custa caro, custa tempo e dinheiro. Ficamos pregados no lugar e sem evoluir. Quem percebe que não pode dar ponto de graça melhora mais rápido. Errar é aceitável, mas nunca com bola boba.

Quando vemos os grandes tenistas jogar, percebemos que eles erram pouco porque jogam simples e com margem. A maioria dos pontos são jogados com uma boa margem de erro. Foque isso e você verá como melhorará rápido.

26

TER PACIÊNCIA NÃO É EMPURRAR A BOLA

Tênis é um esporte de erros. Ganha normalmente quem erra menos. Nem por isso você tem que entrar em quadra só para jogar a bola do outro lado. Ter paciência, no meu vocabulário, é escolher bem suas jogadas e não empurrar a direita ou a esquerda. Temos a tendência de estourar e nos livrarmos da bola. Muitas vezes seu adversário está mais cansado ou nervoso do que você, mas você não percebe e erra antes.

No jogo é preciso entender que o normal é o ponto durar no mínimo quatro bolas. Antes disso, você tem que preparar o ponto. Atenção às primeiras duas bolas do ponto, quase tudo acontece até a terceira bola.

27

OLHE PARA O SEU ADVERSÁRIO

Além do tenista que não para de olhar para fora, também não sou muito fã do tenista avestruz, aquele que fica olhando para os pés o tempo todo. Ele erra, olha para baixo, faz um ponto incrível, olha para baixo. Isso não tem nada a ver com timidez ou arrogância. Olhar é simplesmente a atitude certa. Isso se treina.

Alguma vez você se sentiu pressionado quando o adversário te olhou feio? Pois é. Bons jogadores olham nos seus olhos e isso não tem nada a ver com encarar o jogador. É uma simples demonstração de atitude.

Quantas vezes você acha que o Nadal ou o Federer ganham o jogo antes mesmo de começar? Muitas. A atitude confiante é muito importante.

Vivi algumas dessas experiências na minha carreira, algumas mais intimadoras que outras. Um tenista incrível dentro da quadra e muito legal fora dela era o mais intimador do circuito. André Agassi tinha o hábito de mostrar o peso da sua bola já no bate-bola. Ele sempre aquecia o voleio primeiro e, quando o adversário ia, ele batia nele com toda sua força. Na primeira vez que joguei com ele, minha raquete voou da mão em uma dessas bolas. Ao olhar para ele, vi um leve sorriso aparecer em seu rosto. Reconheço que aquilo me intimidou. Naquele dia, tudo que ele batia me parecia veloz, pesado, forte.

A partir da segunda vez que o enfrentei, comecei a aquecer na rede antes que ele. Dependendo do que ele fizesse, eu devolvia na mesma moeda. Isso me deu confiança, ele começou a me respeitar. Nunca o venci, mas sempre fizemos grandes jogos.

O PLANO A E O PLANO B AO ENTRAR NO JOGO

Todo jogador tem que entrar na quadra com um plano de jogo definido. Falamos bastante sobre as conversas que você precisa ter com seu técnico e até de algumas maneiras de jogar.

Este tópico aqui aborda claramente a tática. Quando entramos na quadra, pensamos nas nossas armas e nas do adversário. Como ele provavelmente vai jogar e como você quer jogar.

Com isso na mesa, você tem que começar a pensar onde vai sacar, se vai jogar mais por direita ou esquerda, se vai jogar mais reto ou com mais altura, se vai atacar ou será mais defensivo.

O plano A é aquele com que você entra em quadra, que sai do vestiário decidido a fazer. No meio do jogo você pode estar em maus lençóis e com isso vai precisar mudar a tática.

Você pensou no plano B? Deveria. É importante ter claro uma maneira alternativa de jogar contra seu adversário. Vejo muito jogador profissional entrando na quadra com a tática de atacar a esquerda e esperar a bola para subir ou definir. No meio do jogo ele altera o lugar da devolução e começa a mudar o lado que ele está preparando o ponto. Ali ele mostra que a tática antiga não deu certo e teve que trazer a alternativa para o jogo.

Não entre em quadra sem um plano reserva. Na hora do jogo e do nervosismo é mais difícil montar uma estratégia alternativa.

Lembro a semifinal que fiz em Roland Garros de 1999. Andrey Medvedev, meu adversário, ficou todo atrapalhado com minha tática de devolução. Ele sacava no meu revés e tudo voltava. No meio do set ele decidiu mudar. Começou a sacar com mais efeito e no meu forehand. Ele mudou o lado e a tática. Por alguns games me desestabilizei e isso foi fatal para perder o primeiro set. É disso que estou falando. Às vezes uma mudança de tática te faz ganhar um ou dois games, tudo o que você precisa para entrar em jogo e ganhar confiança.

29

QUAL É O SEU ESTILO?

Você sabe se é um jogador agressivo, de contra-
-ataque ou um passador de bola? Fisicamente, quanto esforço você aguenta? Precisa jogar pontos curtos? Antes de você elencar essas informações, é melhor nem entrar em quadra.

Para sermos bons tenistas, antes de tudo, temos que saber quem somos em uma quadra de tênis. Quando alguém nos pergunta qual é nosso estilo, quem nós somos em uma quadra, precisamos saber responder com muita facilidade.

Vou dar um exemplo. Sou um jogador canhoto e jogo ¾ de quadra protegendo meu revés. Mando com o drive cruzado tentando atacar de dentro para fora. Jogo com boa porcentagem de primeiro saque com a intenção de bater sempre a primeira bola depois do saque e da devolução de drive. Me preparo bem e adoro jogos longos. Meu ponto começa depois da quarta bola.

Aqui algumas dicas de estilo:

Se for um jogador forte fisicamente e que troca muita bola, entre em quadra pensando em jogar no mínimo quatro, cinco bolas por ponto. A partir da quinta bola você tem mais chance de ganhar o ponto e, agindo assim, mentalmente irá minar o adversário. Eu começava o ponto a partir da quarta bola e já focava o jogo para mais de duas horas. Com isso, sabia aonde queria chegar e levar meu oponente. Sua zona de conforto é a zona de desespero dele.

Se você é do tipo agressivo, sabe que os pontos precisam ser curtos e você precisa de coragem para tentar as definições. Coloque como meta chegar à rede em três ou quatro bolas. Escolha bem o ataque.

Sempre gostei de jogos longos. Quando começava a sentir cansaço, acessava a memória dos treinos duros que fazia com meu preparador físico Edu Faria. Tinha uma imagem da subida da ladeira no bairro do Morumbi, em São Paulo, que vinha sempre que o jogo ficava duro, que eu pensava em desistir (sim, eu também pensava em desistir). Mas aí vinham os gritos de incentivo do Edu que não me deixavam desanimar ("Vamos que você aguenta!", "Vai, Fino, que você vai se lembrar de mim no 4/4 do terceiro set!").

Ao se conhecer, você consegue ter melhores resultados e complicar muito a vida do seu adversário.

30

ERROS FORÇADOS

Estamos acostumados a ouvir que alguém cometeu muitos erros não forçados, que fez um número de winners. Mas pouco se fala dos erros forçados.

Não sei se você sabe, mas em Roland Garros, em 2018, 67% dos pontos masculinos e 69% dos pontos femininos acabaram em erros. Nos últimos anos, também em Roland Garros, os erros forçados foram maiores do que os erros não forçados.

Quando falo que o tênis mudou, que precisamos ganhar quadra, que temos que ser agressivos e pegar a bola na frente, isso quer dizer que, se você agredir seu adversário, ele vai cometer erros forçados.

Aos que não conseguem entender muito bem a diferença desses dois erros, vou tentar explicar. O erro não forçado é aquele erro bobo, em que você não quis fazer nada ou que, mesmo com a bola na mão, você tentou atacar e errou. O erro forçado pode vir na devolução de saque, chegando em uma bola difícil ou simplesmente um voleio complicado.

No fim, pouco importa se o erro foi forçado ou não. O que você precisa entender é que o erro faz o tenista perder. Por isso, precisamos parar de cometer erros bobos e sair da situação de defesa que vai nos fazer errar.

Você não consegue descobrir quantos erros forçados faz? Some a quantidade de winners e erros não forçados e tire do total de pontos jogados. O resultado que der é a quantidade de erros forçados.

31

PRÓXIMO PONTO

Falei do ponto a ponto na dica da frustração. O que significa essa expressão? Simplesmente a forma mais básica de se concentrar. O tenista que está focado no jogo está pensando PONTO A PONTO. Antes de sacar ou devolver, você decide a tática, por onde vai começar o ponto, onde quer jogar e com que altura, agressividade ou ângulo.

Um bom tenista tem as rédeas do jogo nas mãos. Ele pode até perder, mas perde entendendo o que está acontecendo e jogando todos os pontos.

Alguns exemplos de como pensar antes do ponto:

Você vai sacar e o jogo está 4/4 40 iguais. O momento é tenso e você vai até a toalha pensar. Você precisa do primeiro saque, então se imagina sacando meia força com slice fechado e tentando pegar essa primeira bola de direita. Agirá de forma agressiva e esperará a chance para atacar (esse é um exemplo bem simples).

Outro exemplo. Você vai sacar e volear na esquerda dele. Chegou a hora de variar, ele não está esperando. Como vai sacar aberto, é bom fechar bem a paralela. Se ele der cruzadinha, parabéns, mas na paralela ela não passa. Seu primeiro voleio vai ser curto do outro lado.

Em todos os pontos temos que ter essa atitude. Sacar sem pensar é igual a não jogar ponto a ponto.

32

A evolução do esporte veio na velocidade do jogo, na velocidade das pernas e principalmente no ganho de quadra e tempo. Explico.

Antigamente, quando um adversário mandava a bola para cima, tínhamos o hábito de deixar a bola subir, descer e poucas vezes íamos de encontro a ela. Acreditávamos que a aceleração do braço era suficiente para deslocar o adversário.

Hoje não. Cada centímetro que se ganha entrando na bola e indo de encontro a ela você tira de tempo de recuperação do oponente. Com isso ele chega um pouco mais desequilibrado e você consegue atacar com mais facilidade. Sem falar que, ao entrar na bola, você gasta muito menos energia e domina mais o ponto.

Outro ponto importante é que, ao estar o tempo todo encurtando o tempo do adversário, você entra na cabeça dele e automaticamente ele força um pouco mais a bola. Mais erro do lado dele.

No começo você vai achar estranho. Mas essa mudança é muito mais simples do que você imagina. Vai muito mais de visão e foco do que qualquer outra coisa. Ir ao encontro da bola e cair de frente já ajuda. O próximo passo é perceber que a bola vai ficar mais curta e você vai ao encontro dela. Não espere ela chegar.

Essa é uma mudança importante no tênis, não adianta querer ir contra. Ou aceitamos e nos adaptamos o mais rápido possível ou vamos ficar para trás. Não queira brigar com as evoluções.

33

PONTOS IMPORTANTES
EM UM JOGO

Vejo que muitos deixam escapar oportunidades por falta de atenção, por não perceberem a relevância desses pontos importantes.

O jogo tem muitos pontos-chave. Às vezes você nem se dá conta que tem 1/0 e 0/30 e joga como se esse ponto não valesse nada. Tem uma chance de quebra e joga solto porque acha que daqui a pouco vem outra chance. Tenha muita atenção na importância dos pontos.

Pode ser que no começo você não saiba direito e até ache que todos os pontos são importantes. Com o tempo e o exercício de cuidar desses momentos, você aprende quando pode ou não se soltar.

Um exercício legal é, assim que acabar o jogo, falar com seu técnico e discutir quais foram os pontos mais importantes e o que você fez. Seja o primeiro a falar. Caso você não se lembre quais foram os mais importantes, você e seu técnico tem um problema a ser trabalhado.

Os melhores tenistas estão o tempo todo jogando o ponto a ponto e entendendo a importância do ponto que vão jogar. Com isso eles decidem a melhor estratégia.

34

Em um jogo temos várias oportunidades. Seu adversário segue algumas tendências durante a partida. Você consegue perceber isso? Depois de cinco games ou três viradas de lado você consegue se lembrar, por exemplo, onde seu adversário sacou os primeiros pontos do game? E nos três break points, você lembra onde ele sacou e como jogou?

Parece coisa de maluco, mas isso vai fazer você ser muito melhor que seu adversário. Todo tenista tem seus saques de confiança e maneiras de jogar nas horas importantes.

Mais ou menos 90% das vezes ele vai jogar igual. Quanto melhor o tenista, mais ele repete o que está dando certo. Sabe por quê? Porque ele lembra que ganhou o ponto e repete a jogada. Por isso é fundamental você lembrar as jogadas dos pontos importantes. E só conseguiremos isso se jogarmos o tal do "ponto a ponto" que nosso técnico tanto fala do lado de fora da quadra.

Quer um exercício interessante? Quando assistir a um jogo na televisão, anote onde o tenista saca o primeiro ponto, o break point, o 30 iguais ou o 40 iguais.

Na devolução, anote como ele joga o ponto de quebra. Assim você vai entendendo como ele joga e acompanhando seus próximos passos.

Esse exercício vai te ajudar lá na frente e, sem perceber, você vai entender melhor porque ganha ou perde um jogo.

Fica claro nestes capítulos que jogar tênis não é simplesmente bater na bola. Existe uma dose muito grande de estratégia e lógica.

35

SACO OU DEVOLVO?

Gostava de devolver primeiro. O lado ruim disso era que eu sempre estava atrás no placar. O primeiro game é um dos mais complicados e eu demorava um pouco a entrar em jogo. Por isso eu me focava a quebrar o saque do adversário nesse momento e tentava ganhar confiança. No segundo game começava a sacar mais dentro do jogo. Mas essa é uma escolha de cada um.

Há dias em que estamos soltos e confiantes e preferimos sacar. Em outros estamos nervosos e tensos e nada melhor do que devolver o primeiro game. O importante é nos conhecermos e saber se costumamos começar o jogo firme ou se demoramos a entrar em jogo. Essa pode ser a resposta para decidir entre sacar ou devolver primeiro.

36

O QUE PENSAMOS ANTES DE SACAR

Ao batermos a bola para sacar é importante pensarmos como vamos fazer e o que queremos que aconteça na primeira bola. Por exemplo, se vamos sacar no corpo para ele não ter uma devolução agressiva e para a bola sobrar na nossa direita, se vamos sacar com firmeza aberto no iguais para ele ter que devolver no meio e assim já começamos mandando de direita ou se vamos sacar alto na esquerda e fechar a rede cuidando a devolução na paralela dele.

Precisamos ter claro qual é o objetivo e a tática do ponto.

Faça uma rápida análise das suas possibilidades para cada possível saque. Acredite que você possa fazer seu adversário devolver exatamente onde quer que ele devolva. Depende da nossa variação e eficiência. Seja positivo antes de sacar, pense para frente, esqueça o que já aconteceu.

37

O QUE PENSAMOS ANTES DE DEVOLVER

Ao devolver o saque, devemos usar a mesma estratégia: pensar onde e como será nossa devolução. Por exemplo, se ele sacar na sua direita, você pode devolver alto para entrar no ponto; se ele sacar firme, você pode bloquear e tentar entrar no ponto pela esquerda dele ou, em outros casos, partir para a devolução porque é hora de arriscar.

Normalmente, os tenistas não saem de suas zonas de conforto. Se um jogador salvou um break point sacando na sua esquerda, no próximo a chance é bem grande de que ele repita. Não saia antes, mas fique atento e saiba que essa é a primeira opção dele.

Tenista tem que estar pensando o tempo todo. Precisa saber onde o adversário sacou no primeiro ponto do primeiro, terceiro e quinto game. É fundamental entender onde ele saca e onde ele devolve nas horas importantes. Você vai ter muita vantagem se conseguir lembrar onde ele vem sacando os pontos importantes. Isso é um exercício, nada muito complicado. Treine isso na quadra e assistindo aos jogos na televisão. Vejo poucos juvenis fazendo isso, pensando ponto a ponto, para que se lembrem como foi o 30/40 do game passado ou simplesmente usando essa tática na hora do jogo.

38

DEFESA, CONSTRUÇÃO DO PONTO E ATAQUE

Essas três palavras têm que estar claras na sua cabeça ao entrar no jogo. Defesa, construção e ataque. Imagine uma linha 1,5 metros atrás da linha de base e outra a um metro a frente da linha de base.

Para facilitar sua vida, chamamos a linha que você pintou atrás da linha de fundo, de defesa. Entre essa linha e a que você pintou um metro dentro da quadra, de construção, e tudo o que estiver à frente dessa linha, de ataque.

Pronto. Quando você estiver na zona de defesa, você vai fazer o quê? Defender! Essa defesa pode ser spin alto, cruzada firme, slice quando estamos na corrida, mas a sua cabeça trata essa bola como defesa. E defesa você não erra, você coloca do outro lado.

Na posição entre as linhas que chamo de construção é uma bola que podemos fazer mais com ela. Longe de quebrar a bola no meio ou ir para a linha, essa bola é de construção do ponto.

Um bom ângulo, uma direita firme que espera a próxima bola para matar, uma esquerda na paralela que desequilibra seu adversário. Essa bola é muito importante no jogo, ela permite que você tenha a próxima bola.

Em seguida vem a bola mais gostosa do tênis, a de ataque ou definição. Se esbalde, você já se defendeu e construiu o ponto. Chegue rápido nela e a pegue em uma altura boa para poder enfiar a mão. Mas calma, você não está concorrendo ao prêmio de mais forte do mundo.

O ataque deve ser firme e não forte. Você deve acelerar o braço e não fazer força. É importante que seu adversário perceba que, se ele deixar curto, vai sofrer. Você precisa acertar esse ataque. Quanto mais claro estiver para você o momento em que está no ponto, melhor você jogará. Lembra, lá no começo, quando falei sobre escolhas? Elas vêm de fora da quadra para dentro. Aqui ganha quem joga melhor, mas principalmente quem escolhe melhor o que fazer. Use os três lugares com maestria e você sempre vai ter chance de ganhar.

39

OS DOIS PRIMEIROS PONTOS DO GAME

O tempo passa e não tem nenhuma frase pronta do treinador mais apropriada que essa do título. Os dois primeiros pontos do game são importantíssimos. Muitos dos games são definidos nesses momentos. Agir como mão de vaca nessa hora pode se mostrar muito interessante. Para o sacador ter que sacar no 15 iguais é bem mais desconfortável do que sacar no 30/0. Por isso, ao sair da virada, comece o game com muita intensidade e cuidado. Ganhar o primeiro ponto do game em momentos-chave coloca muita pressão no adversário. Se nós simplesmente tivermos essa atenção, já teremos muita chance de conseguir. Para isso precisamos estar muito atentos a tudo que aconteceu até aquele momento. Use a virada para pensar em como seu adversário começou os games de saque e faça sua estratégia. Muitos juvenis não têm claro o que vão fazer quando saem da cadeira. Pense. Não entre em um game sem ter uma tática clara.

40

PRIMEIRO GAME

Faça da vida dele um pesadelo já no primeiro game.
Entre na cabeça do adversário e mostre que naquele dia vai ser duríssimo jogar contra você.

Jogue de forma intensa, erre pouco, sem preciosismos, sem jogadas de efeito. Simples e firme. No início, todos estão mais tensos. Se aproveitarmos esse momento, podemos abrir uma boa vantagem. Entre firme e jogue simples. Quanto maior o volume de jogo e menor o número de erros, serão grandes as chances de ganharmos esse game e já colocarmos pressão no adversário. No tênis, é imperdoável entrar lento e sem concentração. Por incrível que pareça, esse primeiro game é muito importante.

Atenção na tática do adversário. Nos primeiros três games temos que descobrir a tática que ele vai usar. Na virada do terceiro game é fundamental já ter isso claro. A pergunta a se fazer é: 3/0 para mim porque ele errou ou porque joguei certo? 3/0 para ele porque eu estou errando ou foi um começo avassalador dele?

O jogo tem muitas variações. Devemos falar pouco, reclamar o mínimo possível e pensar no próximo ponto. Dentro dos vinte segundos podemos usar cinco para lamentar (mas o melhor é não usar). No restante do tempo pense no que vai fazer no próximo ponto. Ao reclamar, costumamos perder três ou quatro pontos seguidos. Além disso, é importante não mostrar ao adversário que estamos com medo, bravos ou desconcentrados. Blefe. Está bravo? Tente não demonstrar.

41

Você jogou a partida inteira e chegou a hora de fechar. Vem jogando bem, por isso chegou a esse momento. Aí a cabeça começa a pensar um monte de besteira. O que você sente é normal. Uma das coisas mais difíceis no tênis é fechar o jogo. Dois motivos para isso. Primeiro porque você percebe que está perto, que você merece e você começa a pensar mais e pior que antes. Sua cabeça pensa em consequência e não em tática. Por algum motivo temos medo do sucesso.

Para evitar ou melhorar isso, precisamos pensar no ponto a ponto. Foque o que você tem que fazer, onde você vai sacar o primeiro ponto, se vai ser agressivo ou trocar mais bolas. Tenho um conselho: nessas horas não seja defensivo e espere ele errar. Agora você vai entender nesse segundo motivo por que é difícil fechar.

Seu adversário tem uma última chance e vai vender caro. Se ele for um bom competidor, não vai querer perder. Então, ele vai vender caro. Vai parar de errar e colocar pressão em você. Por isso ser defensivo pode ser complicado. Ele no tudo ou nada sem mais o que perder é você empurrando bolinha. Dificuldade à vista. Seja corajoso. Se você chegou até esse momento, tenha confiança. Nunca faça cara de assustado ou bravo nessa hora. Seu adversário quer um motivo para voltar a acreditar. Não dê a ele esse presente.

Mas o mais importante de tudo é manter a tática e a calma. Nessas horas agudas e importantes não é hora de jogar bonito, tem que jogar certo. Você chegou até aí com sua tática. Na hora de definir você tem que mantê-la.

42

O QUE VOCÊ PENSA QUANDO ESTÁ SENTADO

A nossa cabeça vai para muitos lugares quando acaba um game e vamos nos sentar. Use esse tempo a seu favor. Pense em como você chegou até ali, o que você está fazendo bem e o que está fazendo mal, por que está ganhando, por que está perdendo. Faça uma rápida análise. Metade do tempo você usa para isso e a outra metade pense na estratégia do próximo game. Onde vai sacar, como vai jogar.

É normal, nesse momento, que seu cérebro te leve a lugares que não tenham nada a ver com tênis. Me lembro de ter ido para lugares, pensado em namoradas, em provas ou até em brincadeiras que queria fazer. Imagino que hoje muitos possam pensar em jogos de videogame incríveis. Não é hora para isso, você pode mudar a partida nessa virada. Encontre o timing do jogo e pense basicamente na estratégia.

43

ELE COMEÇOU JOGANDO MUITO. O QUE FAZER?

Seu adversário começou jogando muito tênis, você não está vendo a cor da bola. Isso sem dúvida nenhuma dá desespero. Você perde a confiança, fica abalado e naturalmente começa a meter a mão na bola. A primeira característica de alguém sem rumo é perder a paciência, agredir sem sentido e reclamar muito. Faça exatamente o contrário: seja mais paciente, tente jogar mais fundo, pare de dar pontos de graça, não reclame e lute.

Nesse momento precisamos agir com humildade enquanto tentamos tirar o oponente desse sonho maravilhoso. Os pontos longos e disputados normalmente tiram um pouco da confiança dos jogadores.

Outra atitude que temos que ter é a de entender os motivos e como ele está jogando. Se ele está jogando muito bem, mude sua tática, sua maneira de jogar. Não seja o saco de pancadas dele. Esse é um dos erros mais normais e muitas vezes acontece por um simples motivo: o tenista não entrou em quadra com um plano alternativo. Está dando errado o plano que você usou para começar o jogo? Mude.

44

A CULPA É SUA

Temos a mania de colocar a culpa nos outros para justificar nossos erros ou derrotas. O árbitro errou, o adversário teve sorte, o encordoador fez minha raquete mais dura... São tantas as possibilidades que realmente é bem mais fácil aprender que nós somos os culpados pelas nossas derrotas.

Nada ou ninguém joga por você. Dentro da quadra você tem o domínio de suas ações e, se fizer seu trabalho com competência, vencerá.

Se você perdeu, foi por um de dois motivos: ou seu oponente era realmente melhor ou você cometeu erros. Transferir a responsabilidade apenas nos distancia dos nossos objetivos. E, cá entre nós, é mais digno aceitar que seu adversário foi melhor. Sabe o que eu gostava de fazer quando perdia? Eu ia até a rede, dava os parabéns ao meu adversário e, por dentro, pensava: "Você vai ver na próxima! Vou destruir você! Vou jogar muito!".

Aceite, engula em seco, levante a cabeça e volte a trabalhar.

45

CHOVEU, E AGORA?

A chuva no meio de um jogo é um fator que deve ser encarado como normal. Eu sei bem que essa situação muitas vezes complica ou salva o jogador, mas você tem que estar preparado para isso.

Essa preparação começa com a roupa extra que você colocou na bolsa para trocar caso o jogo pare uma, duas ou três vezes.

A chuva muitas vezes pode mudar um jogo. Quando você está ganhando e chove, seu adversário tem tempo de pensar, conversar com o técnico e com isso mudar sua estratégia. Quando você está perdendo, acontece exatamente o contrário.

Se o jogo ainda estiver no começo, normalmente não há tanto problema. O grande desafio é a parada em momentos complicados, como 4/4 30 iguais. Você tem que voltar e sacar nesse momento tenso. Ou quando você estava tranquilo ganhando de 4/1 e na volta tem que começar sacando. Se a chuva demorasse mais cinco minutos o jogo já teria acabado. Mas na volta seu adversário começa com toda a energia e lutando cada ponto.

Na teoria, você deveria voltar jogando exatamente igual se estivesse ganhando e bem diferente se estivesse perdendo, mas normalmente retorna-se com muito nervosismo e dúvidas. Infelizmente, não existe uma fórmula exata para resolver isso porque é uma luta muito mais mental do que tática.

Os primeiros pontos são fundamentais. Sua mente tem que estar 100% focada no ponto e suas pernas precisam estar soltas. Jogue simples e firme. Entre em quadra com a cabeça erguida e pronto para mudar ou definir o jogo. Atitude, nesses momentos, ganha jogo.

Quando houver a parada, fique atento ao tempo que falta para você voltar. Vá até a quadra e veja se está secando. Dez minutos antes de retornar, aqueça e faça todo aquele ritual do pré-jogo. Entre quente, pronto para começar em alta velocidade. Vejo muitos jogos mudarem depois da chuva, por isso faça sua parte. A preparação, o foco e a tática têm que estar perfeitos. Se seu adversário mudar e começar a jogar muito, parabéns para ele. Você sai da quadra tranquilo que fez o seu melhor e nesse dia a chuva te atrapalhou.

46

TODA SEMANA VOCÊ TEM UMA NOVA CHANCE

Se você analisar essa frase com cuidado e com um olhar positivo, pode ter grandes resultados em pouco tempo.

Normalmente abaixamos a cabeça depois de uma derrota. Ficamos tristes e muitas vezes até perdidos. Acho que é um dos momentos mais complicados para o tenista. Mas não viva nem no céu por ter vencido um jogo eletrizante e nem no inferno por ter perdido de um adversário que teoricamente não deveria. Ele é mais fraco que você.

Se você ganhou, tem a chance de jogar mais uma vez. Aproveite consciente de que a vida de tenista não é um mar de flores. Temos que aproveitar os bons momentos. Vivemos mais temporais do que dias ensolarados no esporte, então não se iluda. Mais cedo ou mais tarde você vai viver dias ruins. Continue caminhando, não sente na fama.

Se perdeu, respire, analise os erros e acertos e já comece a se preparar para a próxima semana, o próximo torneio. Um tenista não se faz de uma vitória ou derrota, mas de uma carreira. E lembre-se: você está no meio da caminhada. Normalmente só vemos o lado ruim da derrota, mas ela te ensina demais. Abra sua cabeça e seu coração. Quanto mais aprender com a derrota, mais rapidamente você vai chegar na próxima fase.

O grande problema nas derrotas é não querer aceitar os erros e se permitir mudar rapidamente. Quanto mais cabeça-dura você for, mais tempo perderá. Se seu treinador estiver te pedindo para mudar algo, mude, acredite nele. Não perca tempo.

47

PERDEU O PRIMEIRO MATCH POINT? NÃO SE DESESPERE

Se você chegou ao match point e acha que será fácil, a sua abordagem para esse tão importante momento está errada.

Ao ter que jogar um match point você precisa se preparar para o pior. Saiba que seu adversário não quer perder e vai colocar tudo na quadra, pode ser também que, ao ver a derrota tão perto, ele fique ainda mais corajoso. O que é certo é que esse momento é muito complicado e você precisa ter consciência disso.

Para ser bem-sucedido nessas horas, você precisa ser mentalmente forte. Jogue a tática certa, a que te levou até ali, com uma pitada de agressividade. Falei pitada, não uma xícara inteira. Faça seu adversário ter que te ganhar com o pior dele. Tem uma esquerda pior? É lá que você vai atacar.

Não deu certo? Você perdeu o match point? Não se desespere. Se você começar a falar, se vitimizar, com certeza não terá outra chance.

Nessas horas sua cabeça trará pensamentos péssimos. Tire eles da frente e foque o próximo ponto. O que passou, passou.

Perder match point é normal. Seu adversário está lá lutando e isso acontece com todos. A grande diferença é não perder o foco.

Muitos se desesperam e nem percebem que mudam a tática, a maneira de jogar. Não perdem apenas o match point, perdem o rumo do jogo.

O importante é não perder o padrão nessas horas. Foque a tática, o seu melhor, a sua maneira de jogar e acredite.

48

DEVOLUÇÃO

▼

Um dos fundamentos mais complicados do tênis
é a devolução. Você está lá, parado, e vem um tenista sacando
a mais de 180 ou 200 km/h. Muitas vezes estamos confiantes
e nem percebemos o duro que é devolver.

A devolução serve para você entrar no ponto. Na maioria das
vezes usamos a devolução para tentar reverter o mando do
ponto do adversário. Se ele for esperto, vai usar o saque para
começar a mandar no ponto. Com a devolução você vai se defender quase o ponto todo, porque sua devolução foi curta, ou
vai afundar ou agredir a devolução e começará a mandar.

Existem alguns tipos de devolvedores de saque. Os que devol-
vem um pouco atrás e ganham tempo para que possam rodar
a bola e tentar jogar fundo para ganhar tempo. Os que jogam
dentro da quadra e simplesmente bloqueiam – esses tentam
na mudança de ritmo ganhar a chance de atacar. E os que são

meio-termo. Nem lá atrás nem em cima da linha bloqueando. Eles normalmente têm muito timing e sentem a bola.

Todos eles dependem muito da velocidade e dos efeitos do saque. Por isso, se possível, treine as três devoluções e preste atenção onde você se sente mais à vontade. Com certeza você vai ter suas preferidas, mas em um jogo complicado é interessante ter uma saída.

49

NÃO RELAXE NO GAME

▼

Temos que tomar cuidado quando estamos na frente no game. Não é porque você abriu uma vantagem que vai perder o foco e jogar diferente.

Vendo jogos dos juvenis percebo que, quando o jogador faz 30/0 ou 40/15, ele muda sua maneira de jogar e nesse ponto de vantagem quer mostrar tudo que sabe.

É muito natural o tenista "relaxar" e dar uma pancada na bola, uma curtinha fora de contexto ou simplesmente esperar que seu adversário erre para que ganhe o game. Mal sabe ele que esses pontos são muito importantes e mudam um jogo.

Você precisa ter mais atenção, ser mais mão de vaca, entender que cada ponto vale muito esforço e dinheiro.

Nessas horas que você pensa que está com o game ganho, teu adversário está pensando em alternativas para voltar no

game. Por incrível que pareça, esse é um erro bobo e muito fácil de arrumar. É só ter mais cuidado, mais atenção.

Ninguém te dá o ponto de graça, por isso não dê a eles. Jogue simples e firme. Não seja defensivo, mas cuide mais da bola nessas horas.

50

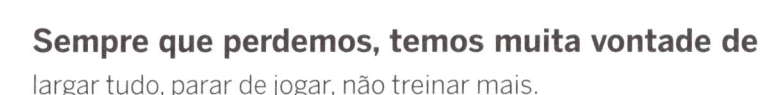

VONTADE DE LARGAR TUDO

▼

Sempre que perdemos, temos muita vontade de largar tudo, parar de jogar, não treinar mais.

Para começar, essa sensação é normal e até muito benéfica. Acho que tenista que não sofre ou não se importa está no esporte errado. A vida de atleta é solitária e difícil. As dúvidas são usuais e elas nos direcionam. O mais importante é tentar entender se é uma frustração ou uma decisão.

Se for uma frustração, respire, vá até a toalha e volte mais forte amanhã. Se for uma decisão, não a faça com a cabeça quente. Espere até o dia seguinte para bater o martelo.

Em 2001 perdi na primeira rodada de um challenger no Uruguai e saí da quadra decidido a parar de jogar. Avisei meu pai, que me acompanhava no torneio, e até chorei com a decisão. Fiz o discurso de despedida enquanto me xingava pela derrota e já comecei a pensar nos próximos passos. Tudo em menos de trinta minutos. Depois do banho, no jantar, um técnico amigo chamado Enrique Perez me colocou no lugar. Me disse que eu estava tomando a decisão errada, no momento errado. Estava de cabeça quente. Que fosse para casa e refletisse. Um dia depois, já sabia que queria jogar mais e que tudo aquilo era uma tristeza e rebeldia momentânea. Aprendi que as boas decisões são feitas com calma, sem o suor e o saibro no corpo.

51

FRUSTRAÇÃO

Não vai acontecer só uma ou duas vezes durante um jogo, mas várias. O tenista vive se frustrando em uma partida. Tênis é um esporte de erros e escolhas, por isso errar escolhas e se frustrar é muito normal.

O grande diferencial é por quanto tempo vamos ficar enganchados nisso. A primeira regra é parar de ter autopiedade. Isso só serve para nos jogar para baixo e nos fazer errar mais três ou quatro pontos. Corte esse pensamento na raiz. Foque rapidamente o próximo ponto e seja objetivo. Quando entramos nesse modo de vítima, rapidamente trazemos as desculpas junto. A quadra, o adversário, o vento...

Se você superar isso, conseguirá ser mais prático, mais objetivo. No tênis precisamos o tempo todo ser objetivos. Não acredito muito no SE, e sim no fazer certo ou errado.

52

NÃO ACERTO UM SAQUE!

Sacar bem é fundamental em um jogo. Muitas vezes, ou na maioria das vezes, em algum momento do jogo paramos de sacar bem.

O primeiro ajuste que você deve fazer é tentar pegar a bola lá em cima e sair do chão. A tensão costuma nos manter pregados no chão. Outra dica é tirar um pouco da força e colocar um pouquinho de slice no saque. É inaceitável errar os três primeiros saques seguidos em momentos cruciais. Se você errou dois porque foi para o saque forte, mude e coloque menos força e mais efeito. Você não pode meter a mão o tempo todo quando estiver sacando mal. Se fizer isso provavelmente errará ainda mais. Lembre-se de que você não joga sozinho. Jogue o problema para o seu adversário, não queira ganhar confiança na marra. Ganhe fazendo o seu melhor e o que normalmente dá certo. Voltar ao básico sempre ajuda.

53

JOGANDO MAL

▼

Se estamos jogando mal, pode ter certeza que existe um motivo.

Quanto mais rápido você perceber o que está acontecendo, mais rápido vai melhorar. Entenda se é seu adversário quem está te fazendo jogar mal, se você está sendo pressionado ou se está jogando errado (na maioria das vezes é isso). Mas, mesmo não achando o motivo, pare de errar. Baixe a velocidade da sua bola, jogue mais simples e cruzado e jogue para acertar cinco, seis bolas por ponto. Comece a entrar em jogo. Devagar você vai ganhar confiança e vai fazer com que seu adversário erre também. Um choque interno é positivo. Fale com você. Não brigue, apenas se cobre. Não vejo jogadores falarem baixinho entre pontos. É preciso ter essa conversa. "Vamos, Fernando. Vamos parar de errar. Você está dando de presente o jogo. Vamos trocar seis bolas neste ponto." Isso vai te fazer mais forte.

54

TÊNIS SE JOGA DENTRO DA QUADRA

Vejo muitos jovens olhando para fora o tempo todo.
Erram uma bola e olham para o pai ou o técnico. Acertam um winner, procuram na plateia um olhar de aprovação. No tênis devemos olhar o mínimo possível para fora. Tenista bom é tenista que resolve seus problemas. Tenista bom é tenista que encontra saídas. Ao olhar para fora você perde lances importantes do jogo, como desvendar. Uma dessas coisas é olhar o que seu adversário está sentindo. Ao focar dentro da quadra vemos que ele está machucado, pode estar entrando em câimbra, a cara dele mostra que está com medo. Sem falar que o tenista treina para ter a oportunidade de fazer a coisa acontecer. Olhando para fora, você mostra ao adversário que está desesperado e que está perdido. Se ele é esperto, vai te fazer jogar mais nessas horas.

Se você olha para fora porque seu pai pede ou o seu técnico obriga, converse com eles. No tênis temos a chance de ouro de amadurecer e aprender a resolver problemas, fazer escolhas. Cada vez que seu técnico se mete no jogo, ele te tira esse poder. Uma dica aqui ou ali faz parte, mas lembre-se de que hoje em dia é proibido ao técnico dar instruções de fora da quadra. Por isso, aprenda a jogar sozinho.

55

ALTOS E BAIXOS EM UMA PARTIDA

Ter altos e baixos em um jogo é normal. Sempre que você perder o foco, tente voltar para o básico, para as jogadas marcadas. Se você perdeu o foco, saque onde quase sempre entra, jogue cruzado, dê um pouco mais de spin com um pouco menos de força, mexa mais as pernas. Pode ser que essas atitudes não se transformem em pontos, mas faz com que sua cabeça volte a trabalhar. Quando você perder o foco, tente lembrar o que o seu técnico te falou antes do jogo. Não queira inventar ou jogar bonito. Na falta de confiança, invista na simplicidade e objetividade.

O perigo de sair do jogo por alguns pontos é o adversário ganhar confiança e começar a acreditar que vai ganhar. Tênis é muito mental. Tenista tem o costume de achar um culpado. O vento, a quadra, o árbitro, a atitude do adversário. Tudo e todos podem ser os responsáveis, mas infelizmente o verdadeiro culpado é o próprio jogador. Lembre-se de que você vai sair de jogo, mas que tem que voltar rápido antes que seja tarde demais.

56

Muitas vezes a partida não está como você ima-ginou, você está jogando abaixo do normal. Seu adversário está passando por cima com um rotundo 6/1 3/0. Esse jogo já está perdido? Não, nem um pouco. O jogo só acaba depois do match point.

Todos os jogadores têm altos e baixos, isso é normal no profissional e no juvenil ainda mais, porém os jogadores duvidam. Ele vai te dar uma chance, vai cair. O problema é que normalmente não vemos essa porta que se abriu. Fique ligado. Um 0/30 pode ser o ponto que você precisa para minar sua confiança.

A cabeça do tenista costuma ser muito louca. Em um segundo o jogador está confiante, mas erra uma bola e pronto, não acerta mais nada.

Mas você precisa aproveitar essa única e isolada chance. Lute até o fim, até o último ponto. Essa é sua obrigação. Acredite que ele vá abrir a porta. Se no fim ele não abrir, dê os parabéns e se prepare para o próximo jogo. Vida que segue.

57

NÃO PERCA NA VÉSPERA

Muitas vezes perdemos na véspera. Temos que entender que é um jogo individual, com erros dos dois lados e que podemos sim complicar o jogo. Use a confiança do adversário a seu favor. Quando se é favorito, não se espera sofrimento. Ao começar a sofrer, o jogador duvida de sua capacidade. É muito fácil jogar com o resultado a nosso favor. Porém, jogar game a game é bem diferente. Não importa o nível do jogador, todo mundo sente a pressão.

Vejo muitos perdendo antes do jogo por causa do ranking do adversário, por ele ser cabeça de chave ou mesmo por ser de um grande centro de tênis. Não podemos ser ingênuos, tênis se ganha na quadra. Ter nome ou ranking serve apenas para contar história, não para ganhar jogo. Acredite em você e esqueça o histórico do seu adversário. O maior erro que um tenista pode cometer é achar que seu oponente vai acertar uma bola ou fazer um ponto incrível antes mesmo do jogo começar. Não existe ponto feito antes do ponto ser jogado. Jogue o ponto a ponto e se concentre na sua estratégia.

58

MEDO DE SER BOM

Inacreditável, mas o tenista tem muito medo de ser bom. Quando ele começa a jogar bem, é o último a perceber, o último a acreditar.

Vejo quase sempre o jogador batendo bem na bola, bem fisicamente, entendendo o que tem que fazer, jogando claramente dentro de suas características, mas não consegue vencer. Se sentiu representado com essa descrição? Você pode ser um desses atletas que tem medo de ser bom.

Se conseguir perceber isso, já dará um grande passo para a solução. Pense menos nas consequências e ataque as saídas. Para mim, uma das melhores soluções é ter claro o que tem que fazer e focar isso. As possibilidades, os ganhos ou perdas devem ficar em segundo plano. A cabeça do jogador tende a pensar negativo, a duvidar. Não ache que isso não vai acontecer, já busque a solução. Pense em como você vai ganhar o próximo ponto, qual será a estratégia. Se você conseguir pensar em uma tática, parará automaticamente de pensar nas consequências.

Na hora da dúvida, reforce sua estratégia. Acredite no que você se propôs a fazer desde que entrou em quadra. Tenha paciência com você e seus erros. O salto para o próximo estágio é muito mais simples e possível do que você acha. Acredite em você e não dê mais desculpas bobas.

59

Quando perdemos o tempo da bola, começamos a errar muito. Antes de se desesperar, pense no que pode te ajudar. A primeira providência é tentar pegar a bola mais na frente, acelerar a cabeça da raquete e, com o punho, dar mais spin. Quando estamos tensos, temos por hábito deixar a bola entrar e mexer pouco as pernas. Mexa-se rápido, pule, exagere na movimentação entre bolas e não pense. Meta spin na bola. Outra boa tática é jogar mais cruzado. Quando eu duvidava do meu drive, tentava lembrar todas as alegrias que ele tinha me dado, me transportava para um jogo onde ele tinha se saído muito bem.

Quando o problema era com meu revés (o que acontecia quase sempre), eu fugia da esquerda. Tentava jogar com mais estratégia e isolar meu revés. O pior que você pode fazer nessa hora é desafiar sua falta de confiança. Seja esperto. No jogo você tem que tentar ganhar. Depois do jogo você treina, briga com um golpe.

60

JOGUEI BEM O PRIMEIRO SET. E AGORA?

Essa é uma das características mais normais entre os tenistas. Não acreditamos em nós. Jogamos bem o set e já começamos a pensar bobagem. Isso acontece quando jogamos no automático e não pensamos muito no que está dando certo ou na nossa tática. Ganhamos um set, sentamos na virada e não temos a mínima ideia de como chegamos até ali. Ao acabar um set, é necessário fazer uma análise sincera do que aconteceu.

Você precisa ter atenção nos primeiros pontos do segundo set. Seu adversário perdeu e vai tentar mudar algo. Cabe a você analisar se isso mudará o estilo do jogo e se você vai ter que adaptar suas jogadas ou se a mudança não vai te prejudicar. Seja esperto, mantenha a pressão. O seu adversário é quem tem que estar preocupado e sem confiança. Sempre reaja às mudanças, nunca mude primeiro.

SENTINDO
MEDO JUNTO

61

MEDO DE ENTRAR NA QUADRA

Calma, não é só você que tem medos e inseguranças.
A cabeça duvida o tempo todo e o importante é saber sair disso. Estou aqui para tentar te ajudar.

O primeiro ponto é entender o tamanho do desafio. Muitas vezes o dimensionamos mal e nos pressionamos. Não podemos achar que a vitória ou derrota vai mudar nossas vidas.

Não jogue para agradar pessoas, para não frustrar familiares. Você tem que entrar em quadra munido de pensamentos positivos. Lembre-se dos seus treinos, do seu esforço. Sua responsabilidade é com o desempenho, a entrega, a atitude.

O resultado vem conforme nos entregamos em quadra e aproveitamos as oportunidades. Outro ponto importante: não leve o jogo para o lado pessoal. Não importa contra quem você vai jogar: amigo, inimigo, cabeça 1, convidado... Você tem que jogar contra um corpo que bate na bola, independente do rosto dele. Jogue contra os golpes na quadra e não contra o rosto ou a carreira do seu adversário.

Outra dica. Quanto estamos nervosos, aquecemos mais tempo e entramos em quadra bem aquecidos e suados. Você deve ter percebido que, quando está nervoso, para de mexer as pernas, fica estático, demora para reagir. Por isso exagere e não pense demais. Jogue feliz. Tênis é muito legal para focar apenas ganhar ou perder.

62

MEDO DE ERRAR

Você tem medo de errar? Tente pensar diferente.

O tênis não permite que você bata na bola sem convicção. Não sei se você assiste aos profissionais jogarem, mas se prestar atenção verá que, sempre que estão tensos (e também ficam), continuam batendo na bola com a velocidade normal do braço, mudando apenas o spin. Quanto mais medo, mais spin, mais rosca na bola. Se você estiver mais solto e confiante, pegará mais firme. Outra dica é jogar mais cruzado, aproveitando que a quadra é maior quando cruzamos o golpe. Na hora do medo, não pense muito. Costumo dizer que tenista que pensa muito ou pensa pouco, joga mal. Pense o suficiente.

Tênis é um esporte de erros. Você não pode achar que vai jogar uma partida sem nenhum erro. Não aceite, mas saiba que é normal errar.

63

MEDO DE ENTRAR NA QUADRA

Muitos meninos e meninas têm medo de entrar na quadra. Um medo estranho que paralisa e faz sentir muito mal. Se você sente esse pânico, saiba que não está sozinho. Isso é normal na sua idade, mas você precisa tentar encontrar os motivos. Normalmente é originado pela obrigação de jogar. Vejo muito tenista mirim jogando porque o pai quer, porque o técnico diz que ele joga bem. Por isso, te pergunto: você gosta de jogar? Tênis tem que ser divertido, não uma obrigação.

Outro motivo do medo é a responsabilidade de ganhar. Teu pai ou tua mãe te pressionam? Acho que é bom você ter uma conversa madura com ele ou ela. Deixar claro que, se a pressão for muito forte, você não vai querer mais jogar. Por último, a sua expectativa. Você vai me ver escrevendo bastante que precisamos pensar lá na frente. Ganhar e perder tem que ser mais natural. Sem essa ideia, ficamos muito pressionados e não evoluímos.

É muito importante destacar que não podemos fugir das nossas responsabilidades. O tênis nos dá a chance de desafiar nossos medos e aprender com eles.

O medo sempre fará parte de nós. O Rafael Nadal disse algo muito interessante sobre o medo de jogar: ele tem esse medo até hoje e, quando não o sentir mais, é porque chegou a hora de parar de jogar.

Em qualquer profissão haverá medo. Você imagina um cirurgião antes de entrar para operar? Um juiz que precisa decidir se uma pessoa é condenada ou não? Todos sentem a responsabilidade. Por isso não fuja do medo, enfrente-o.

64

HISTÓRIA DE CONFIANÇA

Quando ganhei do Roddick em Washington, na quadra rápida, ninguém acreditou. Para muitos era um jogo perdido. Eu sabia que era complicado, mas que se jogasse taticamente perfeito teria uma chance. Foi o que aconteceu. No dia anterior, meu técnico, Bebe Perez, passou comigo incansavelmente como jogar, onde atacar, como defender.

Joguei sem erros e fundo, muito na esquerda dele. Tomei cuidado para não perder o saque até o 3/3 e, nesse momento, coloquei pressão. Joguei bem o segundo saque dele e consegui ganhar muitos pontos. Aproveitei todas as chances de quebra, fui firme e joguei alto sempre que deu. Mostrei que não tinha medo dele. Tudo isso estava claro na minha cabeça porque tinha conversado com o meu técnico antes do jogo e no dia anterior. O resultado foi 6/4 6/4, fruto da minha crença, desde o dia anterior, de que era possível.

65

MEDO DE LIGAR PARA CASA DEPOIS DA DERROTA

Escrevo essa dica com muita experiência. Eu morria de medo de ligar quando perdia. Meus pais nunca foram bravos, muito pelo contrário, eles eram participativos e me incentivavam muito. Mesmo assim sentia medo de ligar para dizer que tinha perdido. Não sei se era porque iria decepcioná-los ou por medo de escutar algo que não queria. Mesmo assim, tive que trabalhar esse medo e conversar com eles a respeito de algumas coisas que eu não gostava. Fiz que eles percebessem que eu dava meu melhor e que iria perder muito. Se eles me pressionassem, não teria nenhuma vontade de ligar, isso me distanciaria deles. Acho que eles entenderam. No começo meu pai era muito sarcástico nas minhas ligações. Quando ganhava, me perguntava se o oponente tinha dois braços, duas pernas ou se enxergava bem. Quando perdia, me dizia que ele já esperava por aquilo. Com o tempo, ele percebeu que estava me pressionando e que a nossa relação não se manteria se continuasse com essa atitude. Ele mudou e começou a me incentivar de outra forma. Muitas vezes, uma boa conversa evita problemas maiores. Converse.

Tenha algo em mente: o jogo do juvenil não pode ser o evento mais importante dentro de uma casa, a derrota de um amador não pode interferir no dia a dia de uma família. Todos queremos ganhar, mas é um esporte em que apenas um consegue. Uma hora vai ser você e outras quem vai ganhar vai ser o seu adversário. Se você e sua família tiverem isso claro, melhor será o relacionamento de vocês.

66

MEDO DE CONTAR QUE QUEBROU A RAQUETE BATENDO-A NO CHÃO

Um dos maiores motivos de desentendimento entre jogadores juvenis e seus pais são as discussões sobre bater a raquete no chão. Infelizmente, tenho que dar razão aos seus pais. Bater e quebrar raquete não são atitudes legais nem inteligentes. Não me importa se você é filho de milionário ou se tua família tem poucos recursos. Nada nos dá o direito de quebrar a raquete. Primeiro que é muito feio. Sei que às vezes nos descontrolamos sem querer. Mas você precisa entender o duro que os seus pais dão para te colocar no esporte, para você treinar, viajar, comprar corda, grip e o que mais precisar. Não é justo com eles dar mais esse prejuízo. Não é justo com você ficar conhecido como o "bravinho" que não tem educação. Cuide da sua atitude e mantenha a raquete na sua mão. Eu também fui um menino que batia raquete. Joguei muitas vezes com ela quebrada ou entrei nos torneios apenas com uma raquete. Senti muita vergonha quando entendi o quão caro é formar um jogador. Ajude seus pais, eles merecem.

APRENDENDO JUNTO

67

PERDEU

O esporte tênis te ensina muito, principalmente a ganhar e a perder. Ninguém precisa me dizer o quanto é doloroso perder, pois já perdi muito na carreira.

Mesmo assim aprendi que ao perder o último ponto, seu adversário deixa de ser seu inimigo dentro da quadra e vira um jogador que, naquele dia, jogou melhor que você.

Assim que o último ponto acaba, prepare-se para parabenizar seu oponente olhando nos olhos dele e vá para fora da quadra discretamente.

O grande tenista é aquele que não dá desculpas, não briga e aceita que há dias em que seu adversário foi melhor. A atitude de reconhecer a derrota é importantíssima. Amanhã você estará na situação contrária e não vai gostar nada de receber um aperto de mão mole e um jogador que não te olha na cara te dando parabéns.

Amigo tenista, você não vai ser mais respeitado ou temido por tratar mal seu adversário depois de perder. Sim, tem dias que estamos com a cabeça cheia e saímos muito bravos, mas nada justifica.

Um dia por ano você pode dar os parabéns de qualquer maneira. Nos restantes você se comporta como o esperado. Pegue de exemplo os jogadores que são respeitados e veja o que fazem quando acaba o jogo. Nadal, Federer, Djokovic chegam a dar abraços e elogiar os adversários. Faça o mesmo, aprenda com os bons.

68

GANHOU

A mesma atitude você deve ter quando ganha, tentar ser o mais educado possível. Da mesma forma que dói quando você perde, seu adversário está triste por não ter vencido.

Não dê risadinhas, não mostre superioridade ou faça comentários bobos. Vá até ele, aperte a mão e fale algo como "bom jogo" ou "valeu". Se o relacionamento for bom, você pode falar um pouco mais.

Elogie se o jogo foi bom, mas cuidado com o que você fala. Esse é um momento em que será julgado, por isso não passe a impressão de ser um mascarado ou um babaca.

Evite dancinhas e gestos efusivos, pois quase sempre são mal interpretados. Fique feliz, respeite o adversário e vá para fora da quadra.

69

CONTROLE DOS TEMPOS

Esse é um assunto que eu adoro. Você tem consciência de que os tenistas estão controlando o tempo todo a velocidade do jogo? Não falo a velocidade da bola, falo a velocidade de jogar. Eles jogam mais rápido quando estão confiantes ou ganhando os pontos, jogam mais devagar quando precisam ganhar confiança. Quantas vezes você, ao ganhar dois ou três pontos seguidos, foi sacar e viu aquela mão esticada pra frente pedindo para você esperar. Ele está sendo sujo no jogo? Não. Ele está controlando o tempo do jogo.

O tênis é um esporte que exige muito mentalmente e, muitas vezes, uma demora a mais entre um ponto e outro faz o cérebro do seu adversário "fritar".

A arte de controlar o tempo tem várias facetas. E, calma, estou falando em todas dentro da lei e ética do jogo. Não queira jogar de forma puritana ou cheio de travas. O tênis é um esporte competitivo e com regras. Você não deve burlá-las, mas precisa jogar com elas debaixo do seu braço.

Quando vemos o Nadal ou Djokovic em quadra, entendemos claramente o que é controlar o tempo do jogo. Nadal usa a toalha para controlar o jogo, Djokovic usa sua velocidade entre pontos para pressionar os adversários.

É preciso estar muito atento ao momento que você vive dentro da partida. Há momentos em que precisamos aproveitar uma boa oportunidade e jogamos mais rápido, e momentos que cadenciamos o jogo. Aprenda a jogar com o relógio. Isso fará você controlar melhor seus nervos e o nervosismo do adversário.

70

TOALHA

A toalha não serve apenas para enxugar o suor, ela é uma tática de controle de tempo.

O jogo está indo embora, você está perdendo os pontos. Peça a toalha. Respire, pense. Você perdeu dois pontos seguidos. Use a toalha. Você está nervoso e não consegue pensar no que fazer no próximo ponto. Toalha novamente. Teu adversário está jogando muito bem e quer aumentar a velocidade. Toalha.

Enquanto você estiver com a toalha pode pensar um pouco e voltar com outra atitude. Use a toalha sempre que estiver saindo de jogo. Não importa se forem dois ou três pontos seguidos. A arte de jogar controlando o tempo do jogo é de grande importância e vai te ajudar a vencer. Ela sempre vai estar lá te esperando para uma quebra de ritmo e, logicamente, para enxugar o suor.

Se você não concorda com esta tática, ache pouco ético, desculpe, falamos outro idioma no esporte. Mas saiba que eu e 99% dos que jogam e jogaram pensam e agem assim. O outro 1% age, mas não fala.

71

CAMINHE MAIS DEVAGAR ENTRE PONTOS

Muitas vezes, quando ficamos ansiosos, começamos a andar muito rápido e jogar mais rápido ainda.

Lembre-se de que seu adversário está te analisando. Jogue com calma os pontos importantes. Não queira se livrar dos momentos tensos, saboreie-os.

No mundo ideal, os tenistas deveriam andar mais rápido quando estão em um bom momento no jogo e bem devagar quando o momento não é muito bom. No item anterior falei da toalha, aqui falo de outra maneira de controlar o jogo. Enquanto você anda devagar pense, ache saídas.

72

USAR O BANHEIRO

Aqui chegamos a um assunto espinhoso. O uso do banheiro no fim do set é permitido. Muitas vezes, essa parada é feita muito mais de forma estratégica do que por necessidade. Então, muitos me perguntam se é certo parar depois de perder o primeiro set. Eu não gosto e mesmo sendo um cara muito encardido no circuito, não usava muito dessa tática. Acredito que o banheiro deve ser usado quando se precisa mesmo, não para parar o jogo ou controlar o tempo da partida.

Mas tem gente que usa essa tática e está dentro da regra. Cabe a cada um usá-la com decência ou não. Essa dica deixo na mão de vocês. Cada um com suas crenças e verdades. Volto a repetir, não é errado, mas cabe a cada um decidir se usa ou não.

TREINANDO JUNTO

73

TREINO

Se quisermos evoluir, precisamos treinar melhor.
Não há segredos no tênis. Tempo de quadra ajuda, mas não melhora nosso jogo. O que muda e evolui é a qualidade. Uma hora de treino tem que render 55 minutos. Não desconcentre, foque, seja profissional. Saiba que não existe a chance de se tornar um jogador profissional se você não se esforçar muito e treinar com seriedade. Seu jogo depende do treino.

74

APROVEITE 90% DO TEMPO DO TREINO

Treinar forte não é treinar bem. Em um treino de duas horas, muitas vezes os jogadores passam mais tempo viajando mentalmente, pensando besteira, brincando, conversando com o parceiro de treino e reclamando do que concentrado no jogo.

Quando treinamos, devemos estar completamente concentrados. Cada minuto na quadra tem que ser útil para a nossa evolução. Se quisermos melhorar, precisamos estar presentes física e mentalmente o tempo todo. Em um treino de uma hora, não se pode parar mais de duas vezes para beber água e essas paradas devem ser rápidas. A arte de treinar bem faz com que melhoremos, só assim evoluímos. Treinar bem é estar concentrado, mexendo a perna, obedecendo ao treinador, repetindo as jogadas com foco e mente aberta. O treino é um espelho do que se vive no campeonato. Se não conseguimos treinar uma hora concentrados, tenho certeza de que vamos nos desconcentrar no jogo. Por isso, trabalhe esse lado também. Às vezes, o jogador acha que o treino é somente o bate-bola, a direita e a esquerda. Não. O treino é físico, tático, técnico e principalmente mental. Se cobre nesse aspecto. Ficar de boca fechada e concentrado o treino todo já vai ajudá-lo a melhorar muito.

Vivi uma história com o Agassi em Roland Garros que me ensinou muito. Marcamos um treino para as três da tarde na quadra central. Dez minutos antes do treino, lá estava eu pronto para treinar e nada dele chegar. Minutos antes das três ele chegou, suado e pronto para o treino. Enquanto eu estava naquela velocidade de quem acordaria dali a pouco, ele estava voando em quadra. Por uma hora ele me puxou e fez o treino em uma intensidade absurda. Quando acabou, ele me disse que treino bom é aquele que vale quase por inteiro. Aprendi muito nesse treino sobre aproveitar cada segundo.

75

QUEM MANDA NA QUADRA É O TREINADOR

"No tênis o atleta paga para ser mandado." Estranho isso, mas é a pura verdade. Você é o chefe, mas não manda, seu único poder é o de demitir, todos os outros o treinador manda mais que você. Mais ainda quando falamos de juvenis. Na quadra, quem manda no treino, na quantidade e na intensidade é o treinador. O jogador obedece. Com o tempo e a experiência, o tenista começa a debater, trazer sua bagagem e com isso ganhar alguns (poucos) braços de ferro. Muitas vezes vejo tenistas mandando nos treinos e se achando espertos. Fico triste ao saber qual é o fim dessa história. Treinos ruins, jogadores mal treinados e separação em poucos meses. Busque sempre treinadores que mandem nos treinos, mas que possuam o diálogo como base. Não acho que o poder do técnico permite que ele não fale o que está fazendo ou debata com você. Mas é importante entender que tem hora para a argumentação e que, na maioria das vezes, o jogador tem que simplesmente obedecer às ordens do técnico.

O diálogo é fundamental. Técnico que não dialoga, para mim, ou é um técnico ruim ou que não sabe responder aos questionamentos. Sempre duvide de um técnico que não troca informação com você. Lembre-se de que ele manda no treino, mas a carreira é sua. Se não existe diálogo, busque alguém que te explique as coisas.

76

CRONOGRAMA DE TREINO

Gosto muito e acho importante o jogador ter noção do que vai ser trabalhado na semana. Sempre digo que os jogadores precisam se apoderar do seu tênis e do seu treino. Isso não quer dizer que o jogador manda no treino, mas ele tem, sim, opinião e poder de argumentação. Ao saber quais são os treinos, ele consegue entender quais são os objetivos e quanto é esperado que ele evolua. Treinar sem objetivo é muito desmotivador. Peça ao seu treinador o cronograma. Assim, você se ajuda e mostra interesse. O mundo ideal é aquele em que o treinador mostra para o jogador, no começo da semana, quais são os objetivos e o que ele vai treinar nos próximos cinco dias. No fim da semana, o treinador deve ter uma conversa franca com o tenista sobre os pontos positivos, as evoluções e atitudes do jogador. Isto te dará uma ideia de como estão indo os treinos e aonde ele quer que você chegue. Seu treinador não faz isso? Peça. Cobre. Isso é a função dele. Ele não quer fazer? Peça uma explicação.

77

Quando começamos a jogar melhor, percebemos que os jogos são definidos nos detalhes. Se um jogo acaba 7/5 6/4, não podemos imaginar uma superioridade muito grande. Esses jogos definidos em uma ou outra bola normalmente acontecem por um grande número de erros não forçados. Então precisamos treinar e muito isso. Antes de falar de treino, é bom dizer: regularidade não tem nada a ver com empurrar a bola. Simplesmente pensamos em tirar os erros não forçados e cuidamos um pouco mais dos pontos. Gosto muito dos treinos chatos. Esses que você fica cruzando a uma velocidade mais baixa, metendo mais spin e errando muito pouco. Trocas longas e desgastantes. Treinos longos com poucas paradas para beber água e muita concentração.

78

TREINO DE CONSISTÊNCIA

Gosto muito do treino de consistência para a molecada que sonha em ser tenista. A tendência hoje é se livrar da bola. Não sei se é a geração, mas a maioria dos jogadores acredita que tênis se ganha na pancadaria, no winner.

Vejo a consistência como o único caminho para se chegar perto do profissional. Errar pouco, quase não dar ponto de graça e jogar todos os pontos são as características dos bons jogadores. Mas você só conseguirá jogar assim se treinar essa consistência.

Aprendemos a sofrer na quadra. Aprendemos a jogar com cansaço e com dor. Jogar cruzado e bater vinte bolas sem errar em um ritmo moderado é um desafio que todos os tenistas precisam passar. Lendo aqui parece fácil, mas muitos têm essa dificuldade pelo simples fato de não treinarem troca de bola firme sem errar. Cruze, treine paralela, faça duas e umas errando quase nada por dez minutos. Aí você saberá sobre o que estou falando. Você deve ter percebido que mencionei treino de jogadas e agora de consistência. Em um jogo temos que ter muito claro o momento de ser consistente, agressivo ou simplesmente jogar a bola do outro lado para que seu adversário erre. Mas para isso você precisa ter no corpo o treino desses fundamentos e estratégias. Um bom jogador treina tudo.

79

TREINOS DE DEFINIÇÃO

Mais um treino muito importante que você precisa fazer muitas vezes por semana é o treino de definição. Durante um jogo, muitas bolas sobram no meio da quadra. Então, preste atenção nelas.

Gosto dos tenistas que treinam essa bola de definição de duas maneiras. Uma com a bola sendo jogada pelo técnico como drills e a outra fazendo jogadas. Um jogador deixa a bola curta e o outro entra e tenta definir. O mais interessante desse treino de definição é que existem muitos tipos de bolas e elas podem e devem ser treinadas de vários lugares.

Nos dias de hoje, não acho mais possível um tenista querer ser profissional se não tiver uma bola de definição. Muitos jovens com 14 ou 15 anos, ao invés de atacarem de cima para baixo com uma bola mais reta, ficam penteando a bola e não atacam quando tem a chance. Hoje pode ser uma alternativa, mas lá na frente essa técnica não ganha jogo.

80

Hoje em dia todo mundo sabe bater na bola. Bater uma boa direita e uma boa esquerda é simplesmente uma obrigação do tenista. Por isso precisamos treinar melhor, treinar jogadas, situações de jogo. É preciso parar de treinar somente na cruzada e paralela. A repetição de bola cruzada sem mexer a perna não vai nos levar a nenhum lugar. É necessário entender claramente o que fazer com a bola e só se aprende isso repetindo jogadas. Pressione seu técnico a treinar jogadas. Por exemplo: o ponto começa depois de uma bola alta na sua esquerda. O que você faz? Onde joga essa bola? Com a repetição dessa jogada você entenderá quais são as melhores alternativas. Esse é apenas um exemplo, posso escrever um livro de jogadas. Uma dica boa é, depois de um jogo de campeonato, colocar em um papel as jogadas que seu adversário mais te machucou. No treino do dia seguinte mostre e treine saídas para elas. Você vai se surpreender como fica mais fácil jogar tênis se treinar essas jogadas. Mas não treine apenas as jogadas que você tem dificuldade, inclua também aquelas que você quer ou gosta de fazer.

TREINOS DE SETS

O ser humano é muito competitivo. Imagino que exista muita dúvida sobre como jogar os sets. Será que é mais importante ganhar ou fazer o que você vem treinando?

Não tenho dúvida nenhuma de que o treino serve para evoluir, aprimorar, ganhar novas armas. Se pensarmos apenas em resultado, vamos jogar sempre presos e voltaremos à zona de conforto nos sets. Não estou dizendo para não dar importância aos jogos nos treinos, mas lembre-se de que você está treinando e precisa executar o que ficou a semana toda tentando mudar. Mescle os objetivos dos sets: um dia você joga exatamente como vai jogar o torneio (principalmente dias anteriores dos jogos), em outros executa de maneiras diferentes. Por exemplo, se você é um jogador muito defensivo, que tal um dia por semana jogar um set mais agressivo e mais perto da linha? O contrário para jogadores que atacam o tempo todo. Jogue sets sofrendo e metendo a bola. Você não vai perder confiança, vai ganhar alternativas e melhorar os seus pontos fracos.

TREINOS DE DRILLS

Sou apaixonado por treinos de drills. Não acho que eles salvem todos os nossos problemas técnicos, mas ajudam muito. A repetição dos golpes com a bola quase morta é fundamental para melhorar um golpe ou achar a precisão que você precisa. Existem milhões de exercícios e, para cada situação de jogo, podemos falar de vários. O importante nesse treino é buscar um objetivo claro, focar um alvo e repetir muitas e muitas vezes. O drills entra direto na mente do jogador. A sequência de acerto faz com que você melhore rapidamente. É importante ser muito cirúrgico nos drills, errar pouco e focar o objetivo. Se tem um cone na cruzada, foque-o e acerte o máximo possível. Na minha época de juvenil, eu e os outros meninos competíamos a quantidade de alvos acertados no dia. O técnico colocava alvos grandes e nos instigava a acertar o tempo todo.

83

TREINO DE SAQUE

Existem muitos treinos de saque. Para cada objetivo você pode encontrar um treino bacana.

Mas antes de pensar em treinar saque, entenda o que você quer com esse treino. Você treinará o primeiro ou o segundo? Vai focar a variação ou a força? Quer ganhar precisão?

Você ganha muito quando tem objetivos claros. Gosto dos treinos com alvos e finalidade, como um saque fechado no alvo 70% com slice e primeira bola de ataque.

Sempre que possível, treine a primeira bola depois do saque. Quando treina essa bola, você se mexe rápido e pode tentar treinar onde quer que seu adversário jogue a devolução. Por incrível que pareça, você muitas vezes anula a devolução em um setor sacando certo.

Vamos imaginar que você é destro e não quer bater a primeira bola de revés depois de sacar na vantagem. Se você sacar aberto, a chance de uma devolução simples ir ao seu revés é muito grande. Um saque no meio te dá mais chance de sair batendo de direita depois do saque.

Treine muito saque. Segue alguns tipos de treinos:

- Cinquenta saques dentro por dia (podendo aumentar com os dias);
- Três saques no alvo (quanto melhor você sacar, mais esse treino tem que ser exigente);
- Dez primeiros saques dentro (só para quando conseguir);
- Vinte segundos dentro;
- Quatro séries dentro de um saque aberto, um no corpo e um fechado.

Bom treino. Com ele, seu saque vai melhorar.

84

TREINOS COMBINADOS DE OBJETIVO FÍSICO

Na hora da competição, muitas vezes lembramos de treinos que fizemos. Quando o jogo aperta e começa a ficar duro, o lado físico é colocado à prova. Aparecem pontos longos e você precisa jogar com a mesma intensidade na segunda, terceira ou décima troca de bolas. Por isso é necessário treinar, principalmente treinos combinados que te exigem fisicamente. Em que você recebe dez, quinze bolas e deve utilizar a mesma força e precisão da primeira à última bola. Esse treino pode ser em drills ou em troca de bola com o técnico ou outro jogador.

Exija do seu físico no treino. Jogar sem cansaço é muito fácil, mas infelizmente isso não mostra a verdade do nosso esporte. No jogo, muitas vezes chegamos cansados na bola e mesmo assim precisamos acertar. Tente fazer isso acontecer no treino.

85

TREINE SEUS DEFEITOS

Não deixe de treinar seus pontos fracos com repetições, análises de vídeos, novas técnicas e estar aberto para mudanças. Muitas vezes somos cabeças-duras para treinar deficiências, mas você tem que saber que uma hora ou outra vai ter que fazer uma mudança ou evoluir. Pense que, quanto maior o nível dos torneios e de seus adversários, mais eles vão te forçar em seus pontos fracos. Trabalhe duro e, mais do que isso, peça para seu técnico soluções, que ele fale abertamente quais são os problemas e como se pode melhorar. Treine diariamente seu ponto fraco. Tênis é repetição. Hoje em dia você tem a ajuda do vídeo. Treine, grave e se assista. Acredite no seu técnico. Faça as mudanças necessárias.

86

Existem dois tipos de jogadores, os que ganham hoje para perder amanhã e os que se permitem perder hoje para ganhar amanhã.

Está claro que no juvenil precisamos pensar no futuro. Fico muito triste quando vejo um tenista pensar apenas na vitória a todo custo e não se preocupar em jogar certo, de maneira que lá na frente vá colher os frutos. A busca desesperada por resultado momentâneo é um dos piores erros no tênis brasileiro. Não caia nessa. Isso não quer dizer que você vai aceitar as derrotas, mas vai pensar sempre em evolução, em jogar tênis de verdade.

Temos tantos exemplos que foram top 10 ou até 1 do mundo no juvenil e não vingaram. Por que você acha que eles não foram bem no profissional? Dinheiro? Oportunidade? Técnicos? Na minha visão, nenhuma dessas alternativas.

Não chegaram porque não olharam para frente. Quiseram ganhar imediatamente, ver seus nomes lá no topo do juvenil sem pensar grande. Por isso, se temos tantos exemplos negativos, não acho inteligente repetir a tática. Pense diferente, em ser bom no profissional. Jogue tênis para o futuro, não para ter resultado momentâneo.

Duvide do técnico que quer você campeão hoje.

87

TREINAR COM JOGADORES RUINS

Muitas vezes vejo um jogador preocupado com o nível do seu parceiro de treino. Me perguntam se quando treinamos com jogadores ruins é possível evoluir. Minha resposta é simples: SIM. Um ponto importante a se dizer. Quando digo que o outro é pior não digo que ele não sabe jogar ou não coloca duas bolas na quadra. Mas pouco importa se ele é pior que você quando você treina.

Você precisa olhar para o seu lado da quadra. Fazer as coisas bem-feitas e se manter intenso, focado, concentrado. Quando você mexe bem as pernas e treina forte, pouco importa quem é o adversário. Você só precisa se preocupar se o outro consegue aguentar o ritmo e errar pouco no bate-bola. Muitas vezes paramos as pernas e nos desmotivamos apenas porque o técnico nos coloca em uma quadra com um jogador abaixo do nosso nível. É você quem determina o ritmo do seu treino.

Eu passei boa parte da minha carreira treinando com jogadores bem piores que eu. Sempre tentei aproveitar os treinamentos da melhor maneira. Colocava o outro garoto de um lado da quadra e pedia para ele jogar onde fosse. Eu inventava treinos que pudessem me exigir e treinava com todo mundo. Um bom treino depende de você.

88

TREINOS COM DIFERENTES JOGADORES

Tenho falado com muitos técnicos aqui do Brasil e de fora. Agora quero falar com você que joga juvenil ou quase profissional. Vejo um erro muito grande no nosso país. Vocês ficam muito dentro dos seus centros e jogam o tempo todo com os mesmos pares. Para o bem de vocês, é preciso sair e desafiar outros jogadores. Não sei se é pouca visão ou medo dos treinadores, mas você como tenista tem a obrigação e o direito de pedir esses desafios. Um dia você convida o tenista do centro do lado e ele vem jogar com você e no outro você vai treinar lá.

Lembro da minha infância no Clube Hebraica. Meu treinador convidava outros jogadores e, à tarde, jogávamos um melhor de cinco sets. Era muito divertido. Na semana seguinte, eu ia até o clube do tenista ou de outro e jogava contra ele. Isso me fazia ver outras maneiras de jogar, de treinar e ao mesmo tempo me desafiava.

Eu buscava sempre jogadores que fossem corajosos e que gostassem de um bom desafio. Meu treino era importante e não gostava de perder tempo. Esses desafios fazem toda a diferença.

Pense nisso. Se seu técnico é contra essa tática, é hora de começar a desconfiar se ele quer mesmo a sua evolução ou simplesmente cuidar para que você não saia da academia dele.

89

NÃO HÁ NENHUM TENISTA JUVENIL DO MEU NÍVEL NO MEU CLUBE OU CIDADE

Escuto muito essa frase nos bate-bolas que faço com a garotada. Muitos me contam que na sua cidade não têm mais com quem jogar e por isso não conseguem disputar sets.

Pergunto de bate-pronto se não há nenhum adulto ou senhora que ele possa enfrentar. Não é possível que ele ganhe facilmente de todos da cidade.

Quando eu era um menino entre 10 e 14 anos, meu técnico me colocava para enfrentar um senhor de 60 anos que só dava slice, uma senhora que jogava bem e me enfrentava de igual para igual ou qualquer adulto que queria ganhar de mim.

Todos esses adversários me ajudaram muito na minha formação como tenista. Todos eles me faziam entender os segredos das vitórias e derrotas. Hoje tenho convicção de que esses jogos foram fundamentais.

Jogue contra esses adultos e seu jogo melhorará muito. Meu técnico, chamado Nunes, pensava nas diferenças de estilos e em como eu iria me virar para ganhar deles. Muitas vezes voltava para casa de cabeça inchada porque tinha perdido sem encontrar uma saída. No dia seguinte vinha a surpresa. Lá estava meu adversário adulto mais uma vez pronto para ganhar de mim. Aprendi muito nessa época e sou grato ao Nunes por ele ter sido tão inteligente e competente nessas decisões.

No circuito juvenil ou profissional você vai encontrar vários adversários com estilos diferentes. Comece cedo a aprender a se adaptar.

90

▼

Falando em assuntos extraquadra, assistir a jogos na televisão também pode ser considerado treino.

Hoje em dia temos a oportunidade de assistir a muitos torneios na televisão. Com isso, você pode entender com mais facilidade como jogam seus futuros adversários. Ao assistir a um jogo profissional, tente aproveitar a aula que eles podem te dar.

Estude a estratégia, as maneiras que eles jogam, o lado mental e como enfrentaram as dificuldades.

Assista aos jogos com um caderninho e vá anotando as características do jogador que você está analisando. Comece com o que vem à sua cabeça. Discuta com seu técnico alguns pontos desse jogo e as táticas usadas.

Assistir a esses jogos com seu técnico do lado é ainda mais proveitoso. Não ache que por eles jogarem muito tênis você não os pode analisar. A tática do jogo não tem nada a ver com o nível de tênis. Se você é um tenista que consegue jogar a bola onde quer, já tem a obrigação de saber como faz isso.

91

Muitas vezes nos vemos em quadra sozinhos treinando. Pode ser porque o treinador não conseguiu ir ao treino ou porque você está viajando sem ele. Automaticamente a cabeça dá uma relaxada e, ao não ter o cão de guarda ao seu lado, esse treino é bem abaixo do que quando ele está lá te cobrando.

Precisamos treinar bem mesmo quando estamos sozinhos. A motivação, na verdade, tem que vir de você mesmo. Como o custo é alto para viajar para fora do país e os pais muitas vezes não têm essa grana toda, é bom ir se acostumando a treinar sozinho.

Primeiro você deve planejar o treino. Se seu técnico não disse o que fazer, pense no momento em que está vivendo e planeje um bom treino de uma hora e meia.

Dica: se tiver um jogo bem próximo, tente um bom bate-bola e alguns games bem jogados. Se estiver fora de torneios, o treino tem que ser mais pegado.

Você treina todos os dias, sabe exatamente o que faz na quadra. Não seja mole! Lembre-se de que você não está enganando seu treinador e seus pais se treinar sem intensidade ou simplesmente nem treinar e mentir para eles. Você está se enganando e assim não se tornará um jogador de tênis.

92

ASSISTIR AO JOGO DO ADVERSÁRIO

Se você está em um torneio e acabou de ganhar o jogo, tente conhecer seu adversário da próxima rodada.

Muitos me perguntam se devem aparecer no jogo e assistir um pouco. Minha resposta é sim, lógico.

Conhecer seu adversário é importantíssimo. Fique lá meio set e veja direitinho suas características. Onde gosta de sacar, se é agressivo, se joga alto, se tem boa direita ou esquerda e principalmente suas características táticas. A leitura do adversário faz toda a diferença.

Caso você não possa, seu técnico tem que fazer isso. Esse é um trabalho na verdade do técnico no profissional, mas aqui eu tento instigar você, que é um tenista mais jovem, a entender o esporte e suas características.

Mais que isso. Ser tenista é viver para o esporte. O conhecimento dos adversários e o planejamento do próximo jogo é fundamental para seu amadurecimento.

93

TREINO É TREINO, JOGO É JOGO

Tome muito cuidado com a loucura de querer ganhar todos os sets em treinos, uma vez que são treinos e não competições.

Não acredito muito na necessidade de ganhar sets para desenvolver a confiança. Acho importante você treinar coisas diferentes em treinos. Quanto mais perto dos jogos você estiver, mais comedido fica, mas nos treinos rotineiros você deve experimentar táticas novas de jogar nos sets. Táticas alternativas. Jogar mais dentro da quadra do que você normalmente joga ou mais atrás se você é um tenista mais agressivo. Ir mais à rede.

Você tem que experimentar essas alternativas nos sets de treino, não nos jogos. Tenha essas mudanças treinadas e programe o set com táticas diferentes. Por exemplo, jogue um set só sacando segundo saque ou um game correndo e colocando a bola para o adversário errar. Lembre-se de que treino é para evoluir e buscar novas táticas.

Com essa ideia você vai perder os sets, mas vai fortalecer seu jogo.

94

O QUE VALE MAIS: UMA SEMANA DE TORNEIO OU UMA SEMANA DE TREINO FORA DO PAÍS?

Vou tumultuar um pouco a cabeça de todo mundo.
Sei que se você chegar com essa ideia seu técnico provavelmente não vai gostar. Mesmo assim, a pessoa mais importante aqui é você. Então pense a respeito.

Vejo muito juvenil gastando muito dinheiro para jogar uma etapa do circuito longe de casa. Muitas vezes entre passagem, hotel, alimentação e acompanhamento técnico o gasto seria o mesmo que ir treinar algumas semanas em um lugar fora do país. Acho muito interessante ter essa experiência.

Em primeiro lugar, você conhece o treino lá fora e consegue comparar com o que você está fazendo. Em segundo, você vai ter uma análise de outra pessoa. Isso pode ser muito bom, já que uma pessoa que não tem vínculo com você vai ser muito mais direta.

E, em terceiro, acho muito legal você ter essa experiência. Vá sozinho, fique no alojamento do local, conviva com os outros jogadores. Você só tem a ganhar.

95

TREINO OU TORNEIOS?

Vejo muitos juvenis viajando mais do que o necessário.
A tal da experiência internacional, enfrentar jogadores melhores ou ter mais jogos na \carreira, às vezes confunde os pais e, com isso, o dinheiro vai embora.

Na minha visão jogar torneios é importante, mas não chega nem perto do treinar. Torneio serve para colocar em prática o que se está treinando. De nada adianta deixar seu filho ainda em formação nos torneios onde é impossível treinar pela falta de quadras, são caros e o tira da escola por muito tempo.

Sem falar nos que vão já sabendo que perderão na primeira rodada. Leve em conta um torneio fora da sua cidade ou estado a cada 45 dias, podendo até jogar dois seguidos se forem muito importantes e um ou dois na sua cidade. O resto do tempo passe treinando, em sets juvenis de outros centros de treinamentos e alguns jogos no seu clube contra tenistas diferentes. Senhores, senhoras, adultos que jogam classe.

Seja inteligente. Se seu filho não tem nível nenhum para jogar brasileiro e perde direto aqui na sua cidade, não é aconselhável ou inteligente fazê-lo jogar dez ou 15 torneios fora do seu estado perdendo 6/0 6/1 6/1 6/1 em todos. Que ele ganhe nível em sua cidade e depois, como prêmio, viaje para jogar fora.

"Ah, mas os outros juvenis vão". Azar deles. Eles provavelmente estão indo passear.

Se seu filho tem chance de ganhar jogos interessantes e joga bem no estado, sou a favor dele jogar os brasileiros. Tênis não é turismo, trate o esporte como uma profissão. Ir aos torneios para passear não é uma atitude certa. Turismo se faz com amigos e família. Torneios são feitos para se desafiar, competir.

96

CHEGOU A HORA DE TROCAR DE TREINADOR

No tênis, a relação entre o tenista e o treinador é muito particular. Ela precisa ser de muita confiança e troca. O jogador deve entender que o treinador manda na quadra, e o treinador precisa saber trabalhar os pontos certos para que o tenista desempenhe bem seu ofício.

Mas, como em qualquer relação, isso pode acabar. A falta de confiança, de respeito e de comprometimento muitas vezes são responsáveis pelo fim do relacionamento. E isso pode vir de qualquer um dos lados. E, na sequência, o tenista precisa tomar uma das decisões mais difíceis em sua carreira: demitir o técnico.

Normalmente o tenista manda o pai ou a mãe fazer isso. Até entendo se ele for muito jovem, mas saiba que a melhor e mais digna atitude é a de se reunir com seu técnico e dizer que a partir do dia seguinte você vai mudar de lugar e de treino. A explicação também é muito importante. Não acho justo, depois de tanto tempo, apenas dizer que deu vontade e pronto. Pontue seus motivos e esteja preparado para escutar a posição dele. Eu sei que é um momento muito chato, mas precisa ser feito. Seja justo ao tomar a decisão. Analise se realmente o problema são eles (técnicos) ou se você está saindo porque eles estão cobrando muito ou falando verdades que você não quer ouvir.

Não procure o técnico que faz tudo o que você quer. Busque sempre aquele que quer sua evolução e te faz treinar duro. Nunca fuja de um profissional duro, nunca aceite um mal-educado. Sempre procure técnicos competentes.

97

TENHO DOIS TÉCNICOS, QUEM EU ESCUTO?

Vejo uma tendência acontecendo no Brasil. Muitos jogadores estão treinando em dois lugares ou com dois técnicos. Alguns treinam em clubes e fazem um reforço particular ou, simplesmente, acham melhor escutar duas opiniões.

Rapidamente muitos juvenis e, principalmente, seus pais me perguntam quem escutar, se é necessário colocar um como o líder ou titular e o outro como segundo.

A minha função aqui é ser o mais sincero possível e trazer a minha experiência. Eu não gosto muito desse formato, mas acredito que funcione quando os dois técnicos são amigos, pensam parecido e se falam diretamente sobre o jogador. Se uma dessas características não acontecer, a chance de dar errado e você pagar o pato é gigante.

Quando digo que a comunicação entre eles é fundamental, estou me referindo a fazer treinos que os dois concordem, sem falar nas ideias táticas no jogo. Quem você vai seguir? Muitas vezes os dois estão certos, mas você precisa escolher um.

Tome muito cuidado com essa escolha de dois técnicos. Um bom técnico é muito melhor do que pagar dois mais ou menos ou dois que não se entendem.

Sei que alguns ficam perdidos porque muitos dos grandes nomes hoje têm dois técnicos no box. Calma. Eles são muito bons e a sintonia deles é gigante. Os dois estão em contato diário e normalmente (menos no Grand Slam) um acompanha o jogador e o outro fica em casa. Como o tenista viaja durante quase trinta semanas por ano, muitos treinadores não querem se deslocar tanto assim.

Se a sua decisão continua sendo ter dois técnicos depois de ler meu texto, escolha um como líder e o outro como segundo. Os dois com poderes totais não me parece uma boa decisão.

SENDO DESAFIADO

98

JOGAR SEM ÁRBITRO

No juvenil é normal jogar sem árbrito. Com isso, as discussões são frequentes e ajudam a moldar o caráter do jogador.

Aos pais, um conselho importante: deixe seu filho discutir, entrar em acordo, ser roubado ou até roubar na quadra. Lá é o território dele. Quando ele não estiver mais em quadra, você assume o papel de pai. Deixe para falar sempre fora da quadra e depois do jogo. A quadra te mostra quem seu filho é, como tenista e como pessoa. Nada melhor que conhecer a índole dele dentro de um jogo.

Aos jogadores tenho algo importante a dizer. Tênis é um esporte lindo que tem que ser respeitado. Respeite as regras: bolas na linha são boas, bolas 99% dentro e 1% fora são DENTRO. Mesmo que seu adversário não perceba se a bola foi boa, seja honesto e cavalheiro.

Não vai ser um ponto que vai nos fazer ganhar. E, se fizer, não vai mudar nossa vida. Será que esse ponto ou jogo é mais importante do que nossa reputação? Saiba que os outros tenistas estão vendo e vão te julgar. Não existe nada pior que ser rotulado como a pessoa que rouba nos jogos. Tênis se ganha jogando, não tirando um ponto do adversário.

A presença do árbitro na quadra tem que ser apenas para marcar o resultado. Bola boa é boa. Bola fora é fora. Não me decepcione nem o seu pai. Ah, e se ele te incentiva a roubar, dê uma lição de justiça a ele, pode ser que ele esteja precisando.

99

JOGOS SEM FIM

Quando você está em um jogo longo e desgastante, precisa tomar alguns cuidados. Em primeiro lugar, não pode achar que é indestrutível. Cuide da sua hidratação, não fique sem beber água em nenhuma virada. Isso pode te levar à câimbra rapidamente e, se estiver muito quente, à desidratação.

Qualquer atitude para evitar desgaste, vale. Boné, água na cabeça, toalha fria na nuca, sombra. Lembre-se de que você é muito mais forte do que imagina. Muitos dos abandonos ou da sensação de ter chegado ao limite é mais mental que verdadeiramente física.

Acredite no seu físico e na sua mente. Esses momentos complicados são ideais para estabelecer a tática sacana. Hora de fazer com que o seu adversário se mexa ainda mais. Se você está cansado, canse ele ainda mais. Jogue uma e uma, duas e uma. Faça-o sofrer.

Se você está morto, provavelmente seu adversário está morto também. Não seja um tenista avestruz. Olhe para ele, mostre que você aguenta mais. Blefe. Carinha de coitado dá mais força ao seu adversário. Nessa hora não jogue para a torcida e queira mostrar que você está cansado. Todos já perceberam.

Sem show. Show quem dá é músico. Nós lutamos, corremos em todas e saímos de cabeça erguida.

100

Hoje em dia temos poucos jogadores com essa característica de saque e voleio, mesmo assim temos que estar muito preparados.

Aqueles que sacam e vão para a rede tem a intenção de acuar o adversário. Normalmente eles têm algumas características bem particulares: não gostam de trocas longas no fundo, jogam rápido e aproveitam todas as oportunidades para subir à rede.

Sabendo disso, vou tentar te ajudar nesse duelo. Primeiro com o saque. Jogue com muito primeiro saque na quadra, use bastante o saque no corpo dele. Se o seu adversário está pensando em subir depois da devolução, esse é o pior saque para ele, pois tenistas que jogam assim costumam botar muita pressão no segundo saque. A mistura de saque e primeira bola é fundamental para não ter complicações quando você sacar.

Agora a devolução. Se ele saca e voleia, faça que a quadra aberta para o voleio dele seja na paralela. Devolva na cruzada baixa, pois é muito mais difícil para o voleador chegar à rede e volear paralelo em movimento. Faça-o volear abaixo da altura da rede. Outra coisa, nas trocas de fundo tente não dar mais que duas do mesmo lado, troque a direção constantemente. Adversários assim não gostam de se mexer.

101

Enfrentar jogadores que são sólidos de fundo de quadra requer uma estratégia bem definida. A tendência quando você os enfrenta é se desesperar. Eles colocam uma bola a mais que você e o desespero te faz quebrar a bola no meio ou errar as escolhas. Esse tipo de jogo se transforma em uma disputa mental. Seu adversário entra na sua cabeça e pensa o tempo inteiro em colocar uma a mais que você. O que podemos fazer? Em primeiro lugar, é importante mexer o tempo todo seu adversário. Com certeza ele gosta de trocar bolas bem de perto, já que ninguém curte ficar correndo a quadra toda. Com esses jogadores é interessante aplicar a tática das três partes da quadra. Se você estiver posicionado um metro atrás da linha, defenda. Quando estiver perto da linha do fundo, busque ângulo e prepare o ponto. Caso esteja posicionado dentro da quadra, ataque. Não tenha medo, seus oponentes também são vulneráveis e erram. Você precisa mostrar a eles que está pronto para jogar o dia inteiro.

Escuto muito as pessoas dizerem que, ao jogar contra um adversário que não erra, precisamos chamá-lo para a rede. Não faça isso. Você até pode chamá-lo, mas será uma variação no jogo, não uma estratégia. Contra jogadores que erram pouco, você deve ser agressivo e paciente.

102

ENFRENTANDO UM CATIMBEIRO

Ao contar a história com Agassi me veio à cabeça jogos contra jogadores encardidos, catimbeiros. Acho que posso falar bastante desse assunto. Eu era um bicho chato e catimbeiro na quadra. Adorava tirar meu adversário do jogo, encará-lo e levar a partida a um nível muito mais emocional que técnico.

Quando eu jogava assim, esperava que meu adversário falasse comigo, discutisse. Quer destruir um catimbeiro? Ignore-o.

Existem os catimbeiros que vão o tempo inteiro discutir com o árbitro. Os que discutem as bolas, os que não param de chorar, os que se fazem de cansados, mas não param de correr. Nesse momento, tenha o foco em si mesmo, no próximo ponto, na sua estratégia e no seu plano de jogo. Fale com você o que vai fazer e não pense no que o adversário está fazendo. Eu sei que falar é fácil, mas não tem outra saída. Se você entrar na provocação, perderá. A ideia é bem parecida com a torcida contra. Você precisa focar e jogar muito, simples assim.

TORCIDA A FAVOR

Ao mesmo tempo, se temos uma torcida a favor, nosso pior erro é nos entusiasmarmos e querermos jogar para ela, forçar jogadas bonitas ou pontos incríveis. Esse é dos piores erros que podemos cometer.

E pode piorar se alguém que estivermos a fim se encontrar na plateia. Nessa situação percebo o jogador olhar mais para fora da quadra do que para o adversário. Tênis se joga dentro da quadra, para fora olhamos apenas quando precisamos de força ou uma direção. O maior presente que podemos dar aos torcedores não é nossa arrogância, jogadas bonitas, beijinhos e piscadas de dentro da quadra, mas sim a vitória. Seja profissional. Use a torcida a favor para ganhar em intensidade, alegria, garra e luta, não em exibicionismo.

TORCIDA CONTRA

▼

Ter uma torcida contra pode ser visto como um desafio ou um entrave gigante. Existem os jogadores que travam ao ver que há uma, dez, cem ou mil pessoas contra ele. Normalmente essa torcida, além de torcer contra, tenta enervar, desconcentrar e até tumultuar o jogo e a cabeça do jogador. O que fazer para não ser influenciado? Em primeiro lugar, precisamos entender que eles querem nos tirar do jogo. Quanto mais encararmos, falarmos com eles, brigarmos ou xingarmos um desses torcedores, mais nos desconcentraremos.

A primeira ordem é manter a calma e de maneira nenhuma confrontá-los. Não conseguiremos calar essas pessoas e naturalmente vamos jogar pior se entrarmos em conflito. Outro ponto importante é entrarmos em quadra sabendo que isso pode acontecer e, se acontecer, qual será nossa atitude.

Nesse momento, você deve acessar o seu amor próprio. Falar o tempo todo com você que, no fim, o seu sorriso e os seus braços levantados os calarão. Outro ponto importante é não usar de maneira alguma isso como desculpa. Ter uma torcida contra ou mesmo um torcedor chato tentando te atrapalhar não pode ser motivo para você perder o jogo.

105

QUADRA SECA

No tênis juvenil é muito normal a quadra ficar muito seca. Com isso o jogo fica veloz e o equilíbrio do jogador comprometido. Jogar no contrapé é uma jogada muito usada e pode trazer muita coisa boa.

Seja agressivo. Em quadras rápidas é complicado se defender. Tome a iniciativa. Quanto mais você mandar no ponto, menos vai sofrer nessas condições.

Tente também ser o mais tranquilo possível. Blefe. Se você está bravo, não demonstre. Saiba que em pouco tempo seu adversário vai reclamar da quadra e se desconcentrar. Normalmente um dos dois reclama e sai do jogo. Dê esse privilégio a ele.

É importante que você entre na quadra já preparado para essa situação e não a use de desculpa. Tênis é um esporte em que você precisa se adaptar a condições adversas o tempo todo.

JOGAR COM VENTO

Já estou imaginando a sua expressão quando leu este título. Você pensou: "Este capítulo é para mim?". Bom, relaxe. Não conheço ninguém que goste de jogar com vento. Alguns se adaptam mais, outros menos, mas ninguém se sente confortável em quadra. E isso é o mais importante.

Se você entrar na quadra sem a expectativa de que vai jogar muito nesse dia, já tem um bom ponto a favor. Você tem que ter em mente que vai ganhar como seja, mas que vai ser muito ruim e estressante. Precisamos ter a cabeça forte e tirar a bola das linhas.

Jogar em dias de vento são parecidos com jogar em situações extremas como de altitude ou frio intenso. Você tem que diminuir sua expectativa e aceitar mais naturalmente os erros. Nos próximos tópicos vou falar de como jogar com o vento a favor e contra. Divirta-se.

107

VENTO A FAVOR

Com o vento a favor, a bola vai embora, por isso você deve pegá-la mais na frente do corpo. Se você deixá-la entrar normalmente, cairá um pouco para trás e isso fará com que ela suba. Subiu, o vento levou. Entre firme e não queira queimar a linha. Jogue com menos risco.

As bolas podem ser uma boa alternativa, mas o lob nem pensar. Se for dar lob, que seja com muito spin e não tão alto. Você vai perceber que a bola do seu adversário muitas vezes não chega até você. Ela dá aquela paradinha e, quando está chegando, perde a velocidade. Cuidado, você tem que girar bem rápido a cabeça da raquete, senão a bola vai embora.

Tente aproveitar que está a favor do vento e pressione seu adversário. Seja agressivo, mas com cuidado.

Use o momento para sacar. Pegue a bola lá em cima e meta a mão para baixo. Aproveite que a bola do seu adversário vai ficar mais curta na devolução e comece já na segunda bola a mandar no ponto. Abafe ele.

VENTO CONTRA

Quanto mais vento contra, mais você deve meter a mão. Nessas condições, faça o seu adversário se mexer bastante.

Sempre que estamos com o vento a favor, temos dificuldade de bater na corrida e controlar a bola.

Quanto mais desequilibrado você o colocar, mais ele vai errar. Outra possibilidade interessante é variar e dar slice. Se você conseguir baixar bem o slice, seu adversário vai ter que levantar a bola. Se ele não cuidar, vai acabar errando.

Jogar alto é um pouco perigoso em dias de muito vento. A bola perde força e fica limpa para seu adversário. Mas não mude sua característica porque venta, apenas se adapte.

Devolução dentro da quadra ajuda muito. Sabe aquele tapa? Não sabe fazer? Passou da hora de treinar essa bola.

Se você ficar muito lá atrás para devolver, provavelmente sua devolução vai ficar no meio.

DICAS IMPORTANTES DE COMO JOGAR EM ALTITUDE ELEVADA

Jogar em altitude elevada é bem complicado. Mesmo assim, se tivermos alguns cuidados, nosso jogo pode melhorar muito.

A bola nessas condições voa mais. Logo, é aconselhável jogar mais cruzado (a quadra é maior) e fazer as trocas de direção quando estamos bem apoiados. Mudanças de direção na corrida são perigosas e normalmente erramos mais.

Uma dica importante é tentar pegar a bola um pouco mais na frente do que você normalmente bate. Nada que mude o golpe, mas sempre que se bate atrasado o corpo tende a cair para trás e, com isso, a bola ganha mais altura. Se você pegar a bola lá na frente e acelerar o braço, a chance da bola entrar é bem maior.

Outra boa estratégia é aumentar em algumas libras a sua raquete. Comece com duas ou três libras e sinta a diferença.

Tome cuidado para não ser muito defensivo. As passadas são mais difíceis e os lobs são quase impossíveis em grandes altitudes.

Tenha paciência com você. Em locais de altitude elevada o jogo fica muito mais errático e feio. Saiba disso e se perdoe caso seu desempenho não venha a ser tão bom. Seja forte mentalmente e entre para ganhar, não para jogar bonito. Porque com altitude elevada jogar bonito é quase impossível.

110

O JOGO LENTO AO NÍVEL DO MAR

Se você tem que tomar alguns cuidados com a alta altitude, no caso de locais ao nível do mar, lugares pesados pela umidade ou quadras pesadas por chuva, é necessário redobrar a atenção também.

Quando jogamos em lugares pesados, a bola anda pouco e normalmente fica maior, mais peluda. Por isso você precisa ter mais paciência e saber que vai ter que jogar pontos mais longos. As trocas de bolas de fundo de quadra são mais normais nesses lugares. Portanto, entre em quadra já preparado para uma possível maratona tenística. As suas raquetes precisam estar com a libragem certa. Como a bola anda umas duas libras a menos da que você usa normalmente, isso pode ajudar. Se você estiver confortável com a tensão que usa sempre, não mude.

Quando você joga em lugares pesados, seu adversário normalmente joga bem atrás na quadra. Perceba se ele tem essa característica e use duas bolas, a angulada e o drop shot. Elas servem como variações e fazem com que seu adversário saia da zona de conforto. Use a variação de ângulos e a velocidade da bola a seu favor. Mas nada disso vai ter sentido se você não tiver paciência. Em dias pesados, redobre sua paciência.

IMPORTANTE

111

ESCOLA OU TÊNIS

Muitos jogadores estão parando de estudar muito cedo. Cuidado. Eu não sou a favor. Vejo uma grande tendência no tênis brasileiro de fazer a meninada parar de estudar para treinar mais.

Será que vale a pena? Acho que é uma decisão perigosa e desnecessária. Se você estiver em uma escola que permita que em um período você treine e no outro você estude, essa é a melhor decisão até o último ano do ensino médio. Muitas vezes interrompe-se os estudos para se ter mais tempo de treino. Mas será que esse tempo é aproveitado? Será que essas quatro horas a mais fazem diferença ou o jogador simplesmente está mais tempo na quadra, sem nenhum efeito positivo para o seu jogo?

É muito mais aconselhável treinar melhor as duas horas que sobram depois das aulas do que ficar quatro horas na quadra para um treino fraco.

Uma decisão é fundamental nessa discussão. Não vejo chance de um juvenil jogar se os pais o colocam em uma escola muito dura, com muitas aulas à tarde, e ao mesmo tempo querem ver seu filho se transformar em um profissional. Se já é difícil jogar treinando todos os dias, imagine se só o fizer duas ou três vezes na semana. Essa conversa é extremamente importante entre pais e filhos. Mas, na minha visão, sair da escola ou começar a cursar uma escola à distância só é válido para os tenistas fora da curva. Pense nisso. Não tire seu filho da escola apenas porque você acha que ele é muito bom.

A você, jogador, que pensa em parar de estudar, seja aplicado. Você consegue jogar e estudar. Esse é um grande exercício, não ache que é carga demais. A vida fora das quadras é muito dura, é um mundo muito egoísta. Você pode se acostumar trabalhando bem e com afinco.

112

NAMORAR ATRAPALHA?

Lógico que não. Mas existe uma grande diferença entre namorar e viver para seu namorado ou namorada.

Precisamos estabelecer prioridades. Não podemos deixar de treinar, aquecer e fazer o pós-jogo para ficar falando com a pessoa pelo celular ou andar de mãos dadas pelo clube.

Vejo muitos tenistas perdidos nesse momento. Primeiro, o furor de um amor nos balança, depois perdemos as prioridades. Quase sempre achamos que estamos fazendo o que é certo, mas na maioria das vezes não estamos.

Precisamos trabalhar normalmente e estabelecer horários para namorar, principalmente quando estivermos em torneios e treinos.

Primeiro você treina, finaliza e depois, com calma, fala com a pessoa. Acostume-se a deixar o celular no hotel ou desligado na bolsa.

Namore à noite, quando estiver no hotel. Lembra do tópico "Clube não é shopping center"? Clube também não é lugar de desfile de mão dada e de tenista se derretendo ao telefone. No clube nós treinamos, pensamos no tênis, não desfilamos e mostramos que estamos namorando. Menos exibicionismo e mais tênis é o que vai te fazer evoluir.

Ah, esqueci de mais um detalhe. Cuide do seu sono, vá dormir cedo. Quando começamos a namorar, a noite fica grande e atrativa. Poucas horas de sono e tênis não combinam.

CELULAR

O celular é uma das maiores reclamações dos pais, técnicos e, logicamente, namorados e amigos.

De um lado você tem a pressão dos que querem você focado no tênis, do outro os amigos e a paquera pedindo atenção e te dizendo que você precisa de tempo livre.

Antes de qualquer coisa, eu te pergunto: quem está certo?

Se você disse "o técnico e seus pais", eu diria que você acertou. Eles querem você fora dessa loucura digital e destruidora de neurônios que é o celular. Ao se conectar, você perde a noção do tempo, do espaço e da vida. Um vício que não te leva a lugar algum. Tênis e celular não combinam, esporte e alienação não combinam. Na vida podemos usar o celular, treinar, beijar na boca e sair à noite. Sim, podemos tudo, mas temos que ter prioridades. Se você está dizendo por aí que quer jogar tênis, pede uma raquete nova ao seu pai e que ele pague o treino cinco dias por semana, ele pode sim exigir empenho. E ficar grudado no celular não é a melhor maneira de demonstrar empenho.

Se a sua resposta foi "os amigos e o romance", você também está certo. Mas saiba que chegou a hora de dizer aos seus pais que você não quer mais jogar para valer. Não se iluda, se a sua prioridade é essa, não temos muito o que discutir. Eles venceram, seu tênis perdeu.

Se a resposta for OS DOIS, você também está certo. Mas também tem pouca chance de vingar. Não existe no esporte o meio-treino, o quase-atleta, a "meia-tentativa". Você precisa se decidir com urgência.

Você pode me perguntar se quem quer jogar tênis não pode usar o celular, se tem que ser uma pessoa sem conexão. Não. Você tem tempo para fazer tudo, mas tem que ter prioridade. Nos dias de treinos e jogos deixe o celular desligado. No clube não use o celular para namorar ou papear. Use-o no quarto do hotel antes de dormir ou depois do almoço por meia hora. Fora desses horários, foque o seu trabalho.

LER AJUDA

Em um dos tópicos falei sobre a importância de cuidar do corpo e não ficar o dia todo passeando no clube ou na cidade. Você precisa de muito descanso e, para isso, deve ficar mais tempo do que normalmente fica isolado no quarto do hotel.

Uma alternativa para esse tempo de ócio é a leitura. Vejo tenistas jogando cartas, mexendo no celular, mandando mensagens, postando fotos, mas quase ninguém lendo.

A leitura abre a cabeça. Te faz amadurecer e conhecer muitos outros assuntos e sair um pouco da pressão do dia a dia. Nos meus tempos de jogador, comecei a ler livros de um escritor chamado Christian Jacq sobre o Egito e os faraós (cada um tem suas preferências). Mas no começo do profissional li muitos livros de Sidney Sheldon. As histórias são simples e envolventes. Você não precisa ler exatamente esses autores, pode escolher o que te agrada mais. O que ajuda é conhecer a leitura e se envolver nela.

Não prometo que você vai jogar melhor se ler, mas com certeza terá muito mais conteúdo e inteligência.

115

OUTROS ESPORTES

Esse tópico precisa ser bem abordado. No começo da vida de tenista muitos com certeza fizeram outros esportes.

Na escola sempre tem futebol, handebol, vôlei e outros esportes muito legais. Acho muito produtivo estar nessas aulas e é fundamental para o seu dia a dia.

Com o tempo e quanto mais ficamos focados no nosso esporte, temos que tomar algumas decisões. Ao escolhermos o tênis como esporte, começamos a treinar todos os dias e fazemos um planejamento anual, além de tomar cuidado com lesões e cansaço. Quanto mais entramos no mundo do tênis, automaticamente temos que sair do mundo dos outros esportes.

Brincar de futebol com amigos é normal. Mas já com seus 15 anos você precisa entender que uma lesão por conta desse joguinho pode te custar muito caro.

Sei que pode parecer muito cuidado e preciosismo, mas você está prestes a dar um passo grande e tentar virar profissional. Cuide do seu corpo, ele é seu maior bem.

116

Quando assistimos a um jogo na televisão e vemos os grandes nomes do tênis com roupas de marcas importantes, pensamos: "Eu quero um patrocinador!". Respondo quase todos os dias a pais e atletas que querem saber como fazer para conseguir um patrocínio. A resposta é simples: ganhe os jogos, apareça na mídia. Não existe mágica.

Empresas querem visibilidade, marcas querem lucro. Acabou o tempo em que se fazia por amor, por contato.

Hoje um tenista tem que dar retorno, ou de mídia ou de resultado. Outro ponto importante é parar de se preocupar com algo que não vai fazer você jogar melhor. Uma camisa bonita, uma manga com o nome da empresa não faz o tenista melhorar. O que o faz ter destaque é o trabalho.

Como sabemos, um juvenil, a não ser que seja um dos melhores do mundo (aí ele vai dar retorno), não recebe dinheiro. Ter ou não ter patrocínio me parece muito mais questão de ego do que de necessidade.

Tudo chega ao seu tempo. Eu fui número 1 do mundo aos 18 anos e nunca tive um patrocinador que me pagasse alguma despesa. Ganhava algumas roupas, mas nada que pudesse ajudar meus pais nessa difícil jornada. Por isso falo com tranquilidade desse assunto.

Sei que você olha para o número 3 do seu estado e ele tem patrocínio de roupa e você, que é o primeiro, não tem. Mas isso não o faz jogar melhor.

Foque o seu jogo e se destacar. Mais cedo ou mais tarde, alguém vai ver que você merece e pronto.

117

O QUE É MELHOR JOGAR: TORNEIOS FORTES OU AQUELES QUE NÃO TÊM MUITOS ADVERSÁRIOS?

Acho que você já pode imaginar minha resposta. Para mim é muito mais importante jogar torneios com adversários duros do que ir até um campeonato para ganhar de vários tenistas que jogam mal apenas para ganhar o troféu ou subir no ranking.

O tênis juvenil serve para aprender. Por isso é necessário entrar em quadra contra adversários fortes. Isso não quer dizer buscar apenas um nível de campeonatos. Precisamos aprender a ganhar, mas principalmente aprender a perder e sermos desafiados.

Vejo muito tenista juvenil fugindo dos grandes eventos para ganhar pontos e ranking. Lembre-se de que você precisa pensar no amanhã. Jogador ruim não complica a partida, não te ensina a resolver problemas e nem a fazer escolhas.

Quando joga com tenistas abaixo do seu nível, você não tem a atenção necessária no jogo, não joga com a intensidade que precisa e não sofre nas partidas. Desta forma, você acha que está evoluindo, mas na verdade está estagnado ou andando para trás.

Como venho dizendo aqui no livro, nosso esporte é um grande incentivador e nos faz aprender o significado da palavra "adaptação". Não troque a chance de aprender por apenas querer ter um ranking melhor.

118

PAREDÃO

O velho e querido paredão é um grande aliado do tenista. Muitos o acham ultrapassado e, com o tempo, ele vem desaparecendo dos clubes.

Na minha opinião, o paredão é muito interessante. Pegue uma bola careca e meio murcha e comece a bater paredão. Comece só batendo direita, em seguida só bata esquerda. Depois de um tempo bata duas direitas e uma esquerda. O tempo todo mexendo as pernas e usando os passinhos de ajustes. Falei que a bola deve ser meio murcha para ela te dar um pouco de tempo. Não acho tão produtivo ficar dando porrada na parede e atrasando o tempo todo porque a bola é muito viva. Ao diminuir a velocidade, você pode focar muito as correções e o posicionamento.

O paredão te ajuda na intensidade, na resistência, nos efeitos, nas variações e nas correções.

119

JOGAR UMA CATEGORIA ACIMA

Inicialmente, precisamos pensar o real motivo para tomar essa decisão. Muitos pais colocam os filhos em outras categorias para tirar a pressão de enfrentar um adversário da sua idade.

Alguns, com quem eu concordo mais, percebem que na categoria do filho não tem ninguém que jogue contra ele. Eu acho interessante você jogar na sua categoria. Mesmo ganhando fácil, é importante respeitar sua idade. Isso não quer dizer que não deve jogar uma categoria acima. A mistura é fundamental, mas sair da sua categoria não me parece uma decisão acertada na maioria dos casos.

Para mudar totalmente de categoria, você tem que passar por todos os torneios sem susto, sem perder sets, sem adversários. Pense nisso. Será que você está mudando para evoluir ou para fugir de alguns adversários chatos que te complicam a vida? Só você tem essa resposta.

120

RESPONSABILIDADE

O tenista vira adulto muito cedo. Certas respon-sabilidades são colocadas no nosso colo muito antes do que prevíamos. Imagino que você goste de jogar, mas acha meio pesado ter tanta responsabilidade ou ler o tanto de detalhes que esse esporte tem.

A arte da maturidade vem muito rápida. Em poucos anos você vai virar um microempresário com funcionários, ganhos e perdas e responsabilidades que quase nenhum adulto que você conhece teve na sua idade.

Por um lado, é bem difícil; por outro, uma oportunidade incrível de amadurecer bem antes de todos ao seu redor. Não se amedronte. Tenha calma, juízo e respeito às regras.

Você tem muito mais a ganhar do que perder. Não queira saber tudo e não errar nunca. A maturidade tem seu tempo, o mais importante é estar tentando fazer o certo. E isso o tênis te pede todos os dias.

O esporte e a vida são de erros e acertos. O tênis te dá a oportunidade de treinar muito bem isso. Aproveite.

RELAÇÃO PAI E TÉCNICO

Esse assunto é bem delicado. Você que é pai e está lendo este livro deve estar querendo o melhor para seu filho. Pai para mim é fundamental e tem que ir aos jogos. Tem que torcer, pode sofrer e ficar triste. Mas sempre se lembre que, na quadra, você é segundo plano. O seu filho é o protagonista e não você.

Por isso comporte-se como pai. Não pai chato ou o tal "sabe-tudo". O papel de dizer como jogar, onde jogar é do técnico. O papel de dizer se a bola foi boa ou fora é do jogador. Você está lá para incentivar.

Pense que a relação com o técnico só será salutar se você respeitar o espaço dele. Você gostaria que o técnico do seu filho entrasse no seu escritório e começasse a dar pitacos nas suas decisões? Que ele chegasse e dissesse ao seu filho que a maneira que você está trabalhando no seu escritório está errada? Acho que não. Por isso respeite o técnico e principalmente o espaço do seu filho. Com isso você terá seu filho por perto e continuará sendo o ídolo dele. Se você começar a tumultuar, ele vai pedir pra você não ir mais aos jogos e você vai perder esse lindo rótulo que nossos filhos colocam em nós.

Eu sei que pai sofre e é difícil se controlar. Mas, se você quer o melhor para seu filho, não se intrometa.

122

VALE A PENA INVESTIR NA CARREIRA DO MEU FILHO?

Outro assunto muito comentado entre os pais é quanto vale investir nesta cara carreira de tenista dos filhos.

Conheço muitos casos de brigas entre marido e mulher que pensam diferente. Realmente, o investimento na carreira de tenista é diferente do investimento na faculdade. Na graduação você com certeza se forma e provavelmente consegue um emprego. No tênis é uma aposta sem garantias.

Mas, então, por que vale a pena? Ser tenista é muito mais que bater na bola. Aqui mesmo neste livro você deve ter detectado muitas características importantes que seu filho desenvolve. Muitos ensinamentos que a vida não mostra e responsabilidades em uma idade que a maioria dos jovens pensa apenas em ir para a rua, balada e videogame. Seu filho está correndo atrás dos sonhos e sendo responsável por suas escolhas desde muito cedo.

Agora, você tem que ter cuidado com seu dinheiro. Vejo muitos pais gastando o que tem e o que não tem antes da hora com viagens a torneios. Cuidado, vá com calma

Precisamos entender que o tenista não vira profissional da noite para o dia. E essa história de ter que competir muito e viajar o mundo cedo não é bem assim. Cada família tem um orçamento e uma crença. Não atropele os acontecimentos e se complique antes do tempo. Um tenista se faz devagar. Por isso, os recursos financeiros também devem ser colocados devagar na carreira do jovem atleta. Sem loucuras e sem pressão, tudo a seu tempo.

123

APOSTAS

Infelizmente, vou ter que abordar um assunto que eu não queria.

Para alguns (juvenis) este item pode parecer estranho. Para outros (tenistas em transição) ele é importantíssimo.

Nunca imaginei que nosso esporte fosse chegar ao ponto de se preocupar com tenistas vendendo jogos (no profissional). Existe um departamento totalmente voltado a isso.

Minha opinião é: não entre nessa. A desculpa do tenista é que não consegue se pagar. Se não consegue, se não é bom o suficiente, procure outra profissão. Vender um jogo é crime, algo extremamente vergonhoso.

Nós temos que ter respeito pelo esporte e por nós. Qual será o seu próximo passo? Depois de jogar tênis, ao não conseguir um trabalho, você vai querer comprar a pessoa? Não pode achar isso normal.

Você que lê este livro e é jovem, te peço que não aceite, não participe dessa vergonha. Se um dia te contatarem, desligue, dê as costas. É possível vencer no tênis. Trabalhe o dobro, se dedique mais.

124

DOPING

Um assunto delicado e importante. Antes de começar, preciso ser direto. Doping é uma das piores escolhas que um atleta pode fazer.

Se um dia formos pegos no doping, temos que saber que nossos nomes ficarão marcados para sempre. Um corte na carreira que não poderemos esconder. Sem falar que para nossos colegas de profissão, o tenista que foi pego no doping é visto de uma forma muito negativa.

Falado isso, existem dois tipos de doping. O primeiro é o feito na inocência, sem saber. Aquele que tomamos um remédio sem imaginar que ele tinha alguma substância proibida. Mamãe ou papai deram aquele remedinho milagroso para melhorar do resfriado. Esse medicamento contém algo que não podemos tomar.

O segundo doping é o que tomamos para nos beneficiar. Vamos ao médico em busca do que alimenta esse lado escuro do esporte. Esse, meu amigo, é deplorável e aconselho a não pegar essa estrada. Você só tem a perder. Ele pode te dar alegria na hora, mas ou você vai ser pego, ter sequelas ou simplesmente não vai conseguir ficar feliz quando alguém te der um abraço de parabéns. Você saberá que trapaceou. Não faça isso.

Mesmo com ou sem intenção, tanto no primeiro quanto no segundo caso você será punido. Existe uma regra que diz que somos responsáveis por TUDO que estiver dentro do nosso corpo. Então não adianta dizer que o médico prescreveu, a mãe deu e que não sabíamos que era proibido.

O quanto antes tivermos essa consciência, melhor. Podemos ser testados a qualquer momento, por isso temos que nos cuidar.

Existem listas de substâncias proibidas, elas são para todos os esportes. Encontre uma, guarde e aprenda a perguntar antes de tomar qualquer coisa.

EQUIPE JOGA JUNTA

125

FÍSICO

O tênis virou muito físico, força, velocidade. Hoje, quem não é atleta não consegue jogar. Não importa se você é alto ou baixinho, você precisa ser rápido, ter pernas fortes. Tentar ser tenista profissional sem um físico atlético muito bom é impossível. Você precisa ser forte e resistente, rápido e ágil.

Nossa atitude tem que ser igual na quadra e no treinamento físico. Muito empenho, garra e atitude. Os treinos devem ser duros e aquela sensação de cansaço no fim tem que vir quase todo dia. Ainda vejo tenista juvenil "cabulando" treino físico. Você não está mentindo para as pessoas, está se destruindo e perdendo a chance de ser jogador de tênis. Nos últimos anos, o esporte ficou muito rápido e os jogadores estão muito fortes. Por isso sua dedicação no físico é fundamental.

126

SEU PREPARADOR FÍSICO É SEU MELHOR AMIGO

Temos ainda a impressão de que se ganha jogo de tênis apenas com a raquete. Que com talento, habilidade e inteligência ganha-se sozinho.

Desculpe, mas hoje quem ganha campeonato de tênis é quem joga bem e, principalmente, quem está preparado. Ter um bom físico te faz aguentar o jogo em alto nível, evitar lesões, chegar melhor na bola e, com isso, conseguir escolher melhor as jogadas e ficar mais forte mentalmente.

Mas como ter um bom físico se toda vez que você treina faz corpo mole ou está cansado? A hora do exercício físico é tão importante quanto a hora do treino em quadra. Um bom tenista é forte, rápido, ágil, resistente. Você não vai conseguir evoluir se não tiver um bom preparador físico e trabalhar duro. Para ser mais intenso, você precisa estar bem preparado fisicamente.

Trabalhei com grandes profissionais que me guiaram no físico. Muitos me falavam que eu era muito forte fisicamente e que isso era natural, genético. Mentira. Eu era forte fisicamente porque trabalhava muito duro. Tinha prazer em fazer exercícios físicos porque sabia que no 4/4 do terceiro set eu era mais resistente do que meus adversários. E também sabia que era fraco tecnicamente e tinha que lutar mais por pontos do que os outros. Por isso precisava voar em quadra.

Hoje em dia não tem surpresa. Quando você joga no profissional toda semana, a velocidade da bola só aumenta. Ou você tem pernas para isso ou não joga.

Por isso acredite no seu preparador físico e fique perto dele. A mescla entre treinos fortes na quadra e no ginásio é fundamental. Logo, incentive a amizade e o diálogo entre seu técnico e seu preparador físico.

COMO ESCOLHO MEU
PREPARADOR FÍSICO

Esse é um assunto muito difícil de se opinar, mas vou tentar fazer um raio X para te ajudar na escolha.

Em primeiro lugar, o preparador físico tem que mostrar interesse por você. Antes de contratá-lo, tenha uma boa conversa com ele. Pergunte o que ele acha de você, onde ele pensa em trabalhar, qual é a metodologia dele e, o mais importante de tudo, qual é a disponibilidade dele.

Quando estamos em um torneio, precisamos ter planos de treinamentos físicos. Durante o período de treino, você precisa que ele esteja presente.

Sinceramente, não acredito nem no preparador físico de aplicativo nem no cara que treina 35 pessoas e mal te vê ou tem algo direcionado para você.

Lembre-se de que o físico é importante e tem que ser bom. Nós não somos mais que ninguém, mas precisamos ser tratados com quem sabe. Simples assim.

MENTIR PARA O TÉCNICO É MENTIR PARA VOCÊ

Mentir para o técnico ou para o preparador físico é um dos erros mais bobos que um tenista pode fazer. Um verdadeiro erro não forçado. Precisamos entender que, o que os técnicos pedem, é para que nós evoluamos. Eles estão no seu time e todos precisam correr atrás do resultado. Esse time vai fazer tudo o que for necessário. Por isso, não minta para seus técnicos.

Se você não fez o que eles pediram, fale, explique o que está acontecendo. Fica muito mais fácil trabalhar e chegar ao resultado quando a comunicação é clara.

Eu sei que, por causa da pressão, muitas vezes queremos jogar tudo para o alto. Muitas vezes eles pegam no nosso pé. Mas respire. Eles querem o seu melhor. O bom técnico não é aquele que se faz de amigo. Amigo você tem na escola, na vizinhança. Técnico é técnico. Vai ser agradável, parceiro, mas vai fazer você jogar o seu melhor. Não queira um técnico amigo, isso não serve para nada. Afinidade é bem diferente de amizade.

CONTUSÕES

Muito cuidado com as dores. Quando somos jovens, queremos passar por cima das dores e das contusões pelo ímpeto de continuar competido. Achamos que, se pararmos por dois meses, vamos perder todo o trabalho feito.

As lesões fazem parte da carreira de um jogador. Sem elas, basicamente, mostramos que nunca fomos ao limite do nosso corpo. E tenho que falar uma coisa: esporte competitivo não é nada saudável, por isso preste muita atenção nos alertas que seu corpo dá. Não somos máquinas, precisamos de cuidados diários preventivos e posteriores a jogos e treinos.

Não jogue lesionado, não queira dar uma de valente. Seja coerente e pense no tempo que vai ter que ficar de fora se a lesão agravar. Isso não tem nada a ver com garra, mas com uma estupidez sem tamanho. Aqui vale um recado: cuidado com o fazer de conta que está lesionado. Isso sempre acontece quando o jogador está perdendo. Essa atitude acarreta dois problemas.

Primeiro e mais feio, você tem que aceitar a derrota. A lesão não altera o resultado final. O adversário pouco se importa se você perdeu porque está machucado ou não. Ele está na próxima fase. Então não minta.

Segundo e mais complicado. Se nos machucamos muito, os treinadores e os pais precisam entender o que está acontecendo. Caso esteja mentindo, será mais difícil fazer o diagnóstico. Você na verdade está se complicando, perdendo tempo. Em uma dessas, o seu médico pode te mandar parar por meses imaginando que você esteja fadigado quando você está fugindo da realidade e do que é normal. Ganhar ou perder um jogo de tênis tem que ser algo natural, faz parte. Aceite a derrota com a cabeça em pé, nunca fingindo uma lesão.

É NECESSÁRIO UM PSICÓLOGO?

A pressão que você sente no dia a dia pode ser muito grande. Alguns juvenis têm pais participativos que pressionam mais.

Outros têm técnicos duros que entram na cabeça do jogador e, de certa forma, também colocam muita pressão. Sem falar nas expectativas que cada um de nós nos colocamos. Será que conseguimos driblar tudo isso sozinhos?

Acho muito interessante e importante para alguns ter ajuda especializada. Infelizmente, ainda há preconceito a respeito do uso de psicólogo esportivo, uma verdadeira ignorância. Ele ajuda e muito os jogadores a saírem de situações difíceis nos jogos e nos treinos.

Uma boa conversa pode abreviar meses de treinos ou evitar alguns sentimentos desnecessários. Sim, precisa. Sim, ajuda. Sim, converse com um.

Sendo direto com você: pare de achar que psicólogo é para os outros e que você não precisa. Ser tenista é muito complicado. A pressão é gigante dentro e fora das quadras. Pense que, se você pode ter mais essa arma, por que não usá-la? É como entrar em quadra só com um tênis. Você joga, mas poderia correr bem mais se tivesse calçado o par.

Prove, tente, conheça e faça um teste. Tenho certeza de que você vai curtir e vai te ajudar.

131

NUTRICIONISTA É IMPORTANTE

Não tenho a menor dúvida de que todos os pro-fissionais ajudam e muito o seu jogo. Ter informação e fazer o que é necessário de forma correta é fundamental.

Quando falo em ter uma nutricionista, principalmente no caso do juvenil, que pode ter problemas de dinheiro, falo em ir em algumas consultas para entender o que comer, quanto comer, o que faz bem e o que não faz. Achamos que sabemos tudo, mas, acredite, não sabemos.

Seu corpo não é uma máquina que você coloca alimento e pronto, ele funciona. Você precisa saber o que colocar, quanto colocar, entender o que te faz bem, como se hidratar, o que comer antes e depois do jogo.

Eu posso até te dar umas dicas, falando para ingerir alimentos leves, tomar cuidado com o que come, mas quem sabe exatamente o que fazer é uma nutricionista.

Invista na sua carreira.

132

RECUPERAÇÃO

A recuperação é fundamental para quem quer continuar firme no torneio. Tudo começa minutos após o jogo. Assim que sair da quadra, fale rapidamente com as pessoas queridas que torceram por você e vá se hidratar e se recuperar.

A primeira atitude ao sair da quadra é falar com as pessoas que tanto torceram por você. Parar e falar com os torcedores é a primeira obrigação. Seja educado. Elas estão esperando por um minuto de atenção, um "muito obrigado" da sua parte. Sei que saímos eufóricos nas vitórias e tristes nas derrotas, mas parar, conversar e tirar fotos, se for o caso, é o mínimo a se fazer. Quanto maior o número de vitórias, mais você será requisitado e terá que dar atenção a um maior número de pessoas.

Feita essa primeira obrigação, é hora de ir se recuperar. Beber líquido é o que você precisa fazer primeiro. Beba água ou bebidas recuperatórias que ajudam muito. Se tiver no local uma bicicleta ergométrica, ótimo; se não tiver, procure um campo, uma pista, uma quadra para correr por uns dez minutinhos em ritmo bem leve e tirar toda a tensão do jogo. Depois é hora de alongar. Alongue-se devagar e com paciência. Nesse momento aproveite para conversar do jogo com quem estiver lá, seu técnico, um familiar ou um amigo que viu o jogo. Escute mais que fale. Peça opiniões táticas e vá quebrando o jogo em pedaços. Comece com os três games, meio do set, fim do set. Como você jogou os pontos importantes do set? Tudo isso te faz entender o motivo da vitória ou da derrota.

Depois de um bom alongamento, é hora do banho e de se alimentar. Essa rotina é muito importante. Trate-a como você trata o jogo, com cuidado e com vontade de acertar. Se o jogo foi muito duro, trate com mais ênfase os processos. Se foi longo, duro e você ganhou, já vá se preparando mentalmente porque amanhã vai ser duro também. O corpo se cansa e muitas vezes nossa cabeça aceita. Não aceite a derrota por cansaço. Saiba que temos muito mais força do que imaginamos. Noventa porcento dos jogadores que perdem por estar cansados, na verdade, perdem para suas mentes. Seja forte. Lembre-se de que o jogo começa no dia anterior.

Contato com o autor:
fmeligeni@editoraevora.com.br

Este livro foi impresso pela BMF Gráfica em papel Offset 90 g.